Het verlies van onschuld

Het verlies van onschuld
M. IJzermans (red.)

ISBN 90 5573 336 9
NUR: 730/652
Trefw.: filosofie/fotografie

Het verlies van onschuld is een uitgave van het Centrum voor Wetenschap en Levensbeschouwing van de Universiteit van Tilburg.

Realisatie: Uitgeverij DAMON bv
Foto omslag: Ruud van Empel
Ontwerp omslag: Uitgeverij DAMON bv

Het verlies van onschuld

Onder redactie van Moniek IJzermans

AUTEURS:
Wil Arts
Sophie de Boer
Odile Heynders
Donald Loose
Rein Nauta
Pieter Siebers
Willem Marie Speelman
Hans Strijards

FOTOGRAFEN:
L.J.A.D. Creyghton
Ruud van Empel
Rebekka Engelhard
Jerome Esch
Rolph Gobits

Inhoud

Voorwoord

Voor u ligt *het verlies van onschuld*, een uitgave van het Centrum voor Wetenschap en Levensbeschouwing (CWL) van de Universiteit van Tilburg. Het CWL onderzoekt hoe waarden, normen en mensbeelden een rol spelen in wetenschapsbeoefening. Met dit doel organiseert het sinds 1989 uiteenlopende projecten met wetenschappers en studenten. Het werkterrein van het CWL is in de loop der tijd uitgebreid naar andere cultuuruitingen dan het puur academische discours, zoals de beeldende kunst.

De relatie tussen wetenschap en levensbeschouwing bevindt zich juist op het vlak van het niet precies benoembare. Daarom wil het CWL zich niet alleen richten op het *verwoorden* van mensbeelden en de relatie tussen levensbeschouwelijke en wetenschappelijke visies. Het wil zeker zoveel ruimte bieden om thema's op een andere wijze te benaderen. In dit geval geven verschillende auteurs en fotografen hun visie op het thema *het verlies van onschuld*. Als medium lijkt fotografie een eenduidige realiteit weer te geven. Er is echter vaak meer dan het meteen zichtbare. Daar zijn de foto's in dit boek een goed voorbeeld van.

Het verlies van onschuld leent zich als thema goed om op meerdere manieren benaderd te worden: via teksten maar ook via beelden. Het is herkenbaar en tegelijkertijd niet constant aan de oppervlakte. Wat is onschuld? Verlies je iets van je onschuld als je je kennis vergroot? Zo ja, wat houdt onschuld dan in? Is het iets wat je wil behouden? Hoe ga je hier persoonlijk mee om? Hoe gaat onze cultuur hiermee om? Het CWL heeft acht wetenschappers en vijf fotografen gevraagd om het thema vanuit hun interesse en vakgebied te benaderen. De teksten zijn van wetenschappers uit diverse disciplines, voornamelijk werkzaam op de Universiteit van Tilburg. Ook de fotografen zijn gespecialiseerd in diverse gebieden binnen de fotografie.

Verloren onschuld in literatuur en kunst

Odile Heynders opent dit werk met een bijdrage over Coetzee en Dostojevski. Zij bieden een ethisch debat over schuld en onschuld. Het verlies van onschuld gaat in de door haar beschreven boeken gepaard met gevoelens van fatalisme, soms zelfs van nihilisme.
Kunsthistorica Sophie de Boer gaat in haar bijdrage in op schuld en onschuld, kunst en propaganda. Ze vraag zich af of kunst onschuldig kan zijn. Ze doet dit aan de hand van het werk van Hitlers favoriete regisseur Leni Riefenstahl.

Welhaast perfect onschuldige beelden

Kunsthistoricus Pieter Siebers leidt het werk van de vijf fotografen in die op heel eigen wijze omgaan met het thema. Hij schrijft over de aaneenschakeling van zonde, schuld en boete in de kunst.
De fotografen hebben zich niet beperkt tot de meest voor de hand liggende omgang met het thema, zoals het verbeelden van baby's als het perfect onschuldige. Ook het jonge meisje met ontluikende seksualiteit is in de expositie niet te zien. In plaats daarvan treft u verrassende, indringende foto's aan die lang op het netvlies achterblijven. De landschapsfotografie van L.J.A.D. Creyghton, de reportages van Rebekka Engelhard en Rolph Gobits, de fotocollages van Ruud van Empel en de surrealistische foto's van Jerome Esch illustreren de grote diversiteit die vandaag de dag in deze kunstvorm te vinden is.

Beschuldigde vrijheid

Hoe reageert een samenleving op schuld en onschuld? De relatie tussen vrijheid en onschuld staat centraal in de bijdragen van socioloog Wil Arts en filosoof Donald Loose. Arts schrijft over de door velen gedeelde opvatting dat de Franse Revolutie geboorte heeft gegeven aan de moderne massamens die de praktische ontkenning vormt van alle beschaving. Hij gaat in zijn bijdrage in op het menselijk verlangen naar zuiverheid, reinheid en onschuld dat in zijn meest erge vorm kan leiden tot totalitaire terreur.
Loose schrijft over de onttovering van onschuld. Na 11 september 2001 zijn er geen paradijzen meer: 'De verloren politieke onschuld is met de globalise-

ring van de politiek mondiaal gegaan (...) In feite hebben we daarmee slechts de logica van de verbanning uit de paradijselijke tuin voltooid. Vluchten voor schuld kon al niet meer sedert de eerste stap naar de beschaving, vanaf het plukken van de eerste verboden vrucht van de vrijheid.'

Verwerking en Verlossing

We sluiten af met beschouwingen over persoonlijke omgang met het thema.
Godsdienstpsycholoog Rein Nauta buigt zich over de relatie tussen schuld en schaamte. Veel meer dan het verlies van onschuld, lijkt het verlies van schuld kenmerkend voor deze tijd. Schuld, zo betoogt hij, heeft in de hedendaagse samenleving plaats gemaakt voor schaamte.
Theoloog Hans Strijards schrijft over de persoonlijke zondeval en het collectieve kwaad. Beide laten zien hoe de erfzonde zich in ons bestaan kan opdringen. Toch zijn ze ook heel verschillend. De verhouding tussen deze twee maakt hij duidelijk aan de hand van herkenbare voorbeelden.
Theoloog Willem Marie Speelman beschrijft ten slotte zijn persoonlijke ervaring met het verlies van onschuld. Hij beschrijft het karakter van dramatische gebeurtenissen aan de hand van regels als bij een spel. Daarbij gaat hij tevens in op de rol van verlossing bij het herwinnen van onschuld door het sacrament.

Het CWL heeft gekozen voor een breed geformuleerde opdracht aan fotografen en auteurs. Het resultaat is een diversiteit van invalshoeken, waarin de kracht van het thema blijkt. De bundel brengt niet alleen wetenschap en kunst bij elkaar, maar bovendien religie (het verhaal van het verloren paradijs), metafysica (de vraag naar zin en de dreiging van nihilisme), politiek (de Franse revolutie, het nationaal-socialisme en de globalisering), en persoonlijke en culturele geestelijke ontwikkeling. We blijken de onschuld, nooit gehad of ooit verloren, in ieder geval ook niet zomaar los te kunnen laten.

Tilburg, augustus 2002
Moniek IJzermans
Centrum voor Wetenschap en Levensbeschouwing
Universiteit van Tilburg

I

Verloren onschuld in literatuur en kunst

Literatuur tegen nihilisme

Odile Heynders

De laatste roman van een van de meest vooraanstaande en getalenteerde schrijvers van deze tijd, de Zuid-Afrikaan J.M. Coetzee (Kaapstad 1940), is gecomponeerd rond twee verkrachtingsscène's: er wordt vanuit het perspectief van de dader verteld over de seksuele intimidatie van een studente en er wordt verteld over de verkrachting van een jonge blanke vrouw door drie zwarte mannen. Deze verkrachting wordt niet direct beschreven, maar meegedeeld vanuit het perspectief van de belevende vader. In de eerste lezing is de roman een choquerend relaas van gebeurtenissen die in het hedendaagse Zuid-Afrika voorstelbaar zouden kunnen zijn. Het is een realistisch verhaal dat gepresenteerd wordt. Bij nadere beschouwing blijkt de roman meer te zijn: een ethisch debat te bieden over schuld en onschuld. Vanuit deze interpretatie kunnen we een verband leggen naar het werk van de negentiende-eeuwse Russische moralist Fjodor Dostojevski (1821-1881) en komen we terecht bij de ongemakkelijke vraag naar de illusieloosheid van het bestaan.

> *Op die pad na die dood loop jou naam, Christus.*
> *Die hart van jou oë klop op die lippe van kinders.*
> Ingrid Jonker

I

De roman *Disgrace* verscheen in 1999 en is de achtste roman in een imponerend oeuvre van een auteur die vele prijzen in ontvangst mocht nemen. Met dit boek won J.M. Coetzee voor de tweede keer de fameuze Engelse *Booker Price*. Toch is het werk van deze schrijver niet onomstreden en dat komt vooral door de manier waarop in de romans sociale en politiek-maatschappelijke omstandigheden worden gepresenteerd en bekritiseerd. In vaak allegorische beelden

beschrijft Coetzee (mis)toestanden en levert zo commentaar op de politieke realiteit van Zuid-Afrika. Daarbij schroomt hij niet zijn eruditie te tonen en citeert hij, om zijn lezer bij de les te houden, veelvuldig uit de Europese literaire canon. *Disgrace* handelt over seksuele intimidatie en verkrachting, en ik moet toegeven dat ik tijdens mijn eerste lezing van de roman verbijsterd was over wat er verteld werd – en vooral over het feit dat een mannelijke auteur tot twee keer toe een nogal onderdanig vrouwelijk slachtoffer neerzet. In grove lijnen gaat het verhaal als volgt. Hoofdpersoon is de tweeënvijftigjarige David Lurie, professor in de Communicatiewetenschappen aan de universiteit van Kaapstad. Eigenlijk is hij literatuurwetenschapper, maar door facultaire bezuinigingen is zijn echte vak tot één college over de Romantiek teruggebracht. Lurie begint een relatie met een studente, Melanie Isaacs, waarbij het twijfelachtig is tot hoever zij wil gaan. Toch komt het ervan dat zij tot drie keer toe geslachtsgemeenschap hebben. Een universitaire onderzoekscommissie besluit dat dit niet kan en ontslaat Lurie, die zich terugtrekt in de Oost-Kaap op de boerderij van zijn alleenwonende dochter Lucy. Hij helpt mee met de arbeid op het land en in een dierenkliniek en bereidt zich voor op het schrijven van een studie over de romantische dichter Byron.
Het landleven brengt enige harmonie tot het moment waarop Lucy door drie indringers verkracht wordt en David, opgesloten in een toilet, met spiritus overgoten en verbrand wordt. Vanaf dat moment is alle evenwicht verstoord. David wil de verkrachting aangeven bij de politie, Lucy wil haar geheimhouden. Gevoelens van schaamte en vernedering, maar ook van woede, trots en overlevingsdrang lopen dooreen en verstoren de relatie tussen vader en dochter. Lucy is zwanger en besluit het kind te houden. David trekt zich terug en beseft dat uiteindelijk zelfs zijn intellectuele ambitie niet overleeft. De lijn van leven gaat door, zijn aandeel zal steeds kleiner worden.

Laat ik eerst inzoomen op de onderdanigheid van de vrouwelijke personages. Die onderdanigheid wordt vooral bewerkstelligd doordat we het verhaal uit Lurie's perspectief vernemen. De gebeurtenissen worden *via* hem verteld. In literatuurwetenschappelijke (of narratologische) termen zeggen we dat het vertelperspectief *personaal* is: de lezer 'kijkt' vanuit het perspectief van één personage. Dat betekent dat hij ook met alle manipulatie, verdringing en het zichzelf-voor-de-gek-houden van dat personage opgezadeld wordt.

Als Lurie het meisje Melanie uitnodigt in zijn huis, weet hij waar hij aan begint – zij is dertig jaar jonger dan hij –, en weet hij ook dat het gevaarlijk is wat ze doen. Hij probeert haar te verleiden, maar geeft haar wel de ruimte te ontsnappen:

> 'Je bent erg mooi', zegt hij. 'Ik ga je uitnodigen om iets roekeloos te doen.' Hij raakt haar opnieuw aan. 'Blijf. Blijf vannacht bij me.' Bijna gaat ze er op in, maar hij doet een verkeerde zet als hij al te onderwijzend uitlegt wat haar schoonheid behelst: 'Hij is weer docent geworden, een man van het boek, hoeder van het cultuurgoed. Ze zet haar kopje neer. 'Ik moet weg. Ze wachten op me.' (pg. 17)

Enkele dagen later is hij haar aarzeling voor. Hij voert haar mee naar zijn woning:

> Hij neemt haar mee naar huis. Op de vloer van de woonkamer, bij het geluid van tegen de ramen kletterende regen, vrijt hij met haar. Haar lichaam is helder, eenvoudig, volmaakt op zijn manier; hoewel ze van begin tot eind passief is, vindt hij de daad aangenaam, zo aangenaam dat hij vanaf het hoogtepunt in de totale vergetelheid tuimelt. (pg. 19)

Deze eerste keer dat ze vrijen, laat zij zich kennelijk meevoeren. Ze is al eerder bij hem thuis geweest en weet waar hij naar verlangt. Waar hij op uit is. Nu gedraagt ze zich passief, en ook naïef natuurlijk, want ze kán weglopen. Ze hoeft niet op zijn uitnodiging in te gaan. Maar aangezien we als lezer het verhaal alleen vanuit Lurie verteld krijgen, komen we niet te weten wat haar motieven zijn, wat haar bezielt mee te gaan met een docent die al te hitsig is.
De tweede vrijscène is minder onschuldig. Lurie overrompelt het meisje in haar kamer. Zij spartelt tegen: 'Nee, niet nu!', maar hij zet door: 'niets kan hem weerhouden'. De beschrijving van de daad en haar reactie is indringend:

> Ze verzet zich niet. Het enige dat ze doet, is zich afwenden: haar lippen afwenden, haar ogen afwenden. Ze laat zich door hem languit op het bed leggen en ontkleden: ze helpt hem zelfs door haar armen en daarna haar heupen op te tillen. Kleine rillingen van de kou gaan door haar heen;

> zodra ze bloot is kruipt ze, als een gravende mol, onder de gewatteerde sprei en keert hem de rug toe.
> Geen verkrachting, dat net niet, maar niettemin ongewenst, ongewenst tot op het bot. Alsof ze had besloten zich slap te houden, vanbinnen dood te gaan zolang het duurde, als een konijn wanneer de tanden van de vos zich om zijn nek sluiten. Opdat alles wat haar aangedaan zou worden als het ware ver weg gedaan werd. (pg. 23/24)

De laatste zin van dit citaat is onthullend. Hieruit blijkt dat de verteller die aan het woord is, en tegelijkertijd het personage is dat handelt, *goed* beseft wat hij doet en aanricht. Hij vergelijkt zichzelf met de vos, met de macht, met het dier dat in staat is zijn slachtoffer te doden. Maar ook nu weten we als lezer niet wat er werkelijk omgaat in Melanie.
De laatste keer dat ze vrijen is in Lurie's huis, in de kamer die vroeger van zijn dochter is geweest. In de ervaring van Lurie is het vooral aangenaam: 'Het is lekker, net zo lekker als die eerste keer; hij begint te leren hoe haar lichaam zich beweegt. Ze is snel en hongert naar ervaring. Als hij bij haar geen volledig seksuele lust bespeurt, is dat slechts omdat ze nog jong is' (pg. 27). Ook hier moeten we rekening houden met het feit dat het *zijn* impressie van de gebeurtenis is; de dader vergoelijkt zichzelf door haar gebrek aan lust uit te leggen als bewijs van haar onervarenheid. En niet als bewijs van weerzin.
Zo uitgebreid als we de gemeenschap van Lurie en Melanie gepresenteerd krijgen, zo weinig wordt over de verkrachting van de dochter verteld. Lurie wordt door de indringers opgesloten en beseft niet wat er ondertussen in de slaapkamer van zijn dochter aan de gang is. Hij is bezig met overleven, hij slaat nadat ze hem in brand hebben gestoken, de vlammen uit. Als hij later door Lucy uit de kleine toiletruimte bevrijd wordt, pakt hij het signaal niet op: ze is in badjas, op blote voeten, heeft nat haar. Even later sluit ze zich op in de badkamer. Dan pas snapt hij, zonder het expliciet te benoemen, wat er heeft plaatsgevonden. Maar pas weken later kan Lucy vertellen over wat er gebeurd is:

> Halverwege de rit naar huis begint Lucy tot zijn verrassing te praten. 'Het was zo persoonlijk,' zegt ze. 'Het werd met zo'n persoonlijk gerichte haat gedaan. Dat verbijsterde me meer dan wat dan ook. De rest viel...

te verwachten. Maar waarom haatten ze me zo? Ik had ze nog nooit gezien.' (pg. 135)

Het antwoord dat Lurie geeft, is bedoeld als troost: 'Het was de geschiedenis die uit hen sprak (...) Een geschiedenis van onrecht. Probeer het zo te bekijken, als dat helpt. Het leek misschien persoonlijk gericht, maar dat was het niet. Het is door de voorvaderen overgedragen.' (pg. 135) De door koloniale macht en onderdrukking getekende geschiedenis van Zuid-Afrika wordt aangevoerd als argument voor wat in het heden plaatsvindt, als rationele uitleg voor wat het individu wordt aangedaan. Maar eigenlijk toont Lurie de leegheid van deze redenering, als hij probeert zijn dochter aan te zetten van het platteland weg te gaan naar de stad. Het is niet veilig daar; het zal opnieuw kunnen gebeuren. Zij daarentegen wil blijven, en zich desnoods onderwerpen aan de macht en bescherming van haar zwarte werknemer Petrus. Zij wil het gebeurde beschouwen als 'schuld' die ze met haar slachtofferschap heeft ingelost en wellicht zal blijven inlossen.

Twee blanke vrouwen worden vernederd in het moderne Zuid-Afrika. Dat is het verhaal van Coetzee. Dat is ook de actuele kracht van de roman. Toen ik in het jaar van verschijnen in Zuid-Afrika op werkbezoek was, werd ik verrast door het feit dat velen die ik ontmoette het boek hadden gelezen en er een felle mening pro of contra over hadden. Iedereen betrok de tekst op de eigen ideologische visie. Voor een uit Nederland afkomstige lezer is een dergelijke reactie op een fictieve roman onvoorstelbaar. Onze politieke context is waarschijnlijk te braaf en veilig om zulk een afkeer van of mededogen met romanpersonages op te roepen. De ene vrouw is slachtoffer in de vermenging van een seksuele en machtsverhouding. Ze is passief omdat ze als studente afhankelijk is van haar docent. Zodra ze door de onderzoekscommissie in het gelijk wordt gesteld, lijkt ze meer het heft in eigen handen te nemen, maar dat is maar schijn, omdat ze afhankelijk blijft van de grote mond van haar vriendje. De andere vrouw is slachtoffer in een door armoede en raciale discriminatie gedomineerd sociaal systeem. Zij is passief omdat er alleen zo een mogelijkheid is om op het platteland te wonen. Maar in dat wat op het eerste gezicht onderdanig gedrag is, schuilt haar kracht: de dochter is bereid een bepaalde (lichamelijke) vrijheid in te leveren om zich zo te handhaven op het land – los van de blanke intellectuele gemeenschap die haar vader vertegenwoordigt én los van de zwarte gemeenschap (Petrus mag zichzelf als echtgenoot beschouwen, maar mag niet in haar huis wonen). Binnen de beperkende condities gaat Lucy toch een eigen weg. De motieven tot handeling van de personages zijn complexer dan ze lijken. De roman krijgt bovendien diepte doordat de dader zelf medeslachtoffer wordt. David Lurie wordt van gevestigd intellectueel uiteindelijk een paria, iemand die leeft bij de dag en niets meer heeft dan een toevallige taak in een dierenasiel. Maar er is meer dan deze beschrijving van het verhaal. De verteller die aan het woord is, toont ons voortdurend de complexiteit van afwegingen die de hoofdpersoon maakt dankzij en ondanks de omstandigheden. De man lijdt als het ware onder het gewicht van zijn ideeën. Hij heeft sterke driften, maar ook een onontkoombare drang om zichzelf te analyseren. In het hiernavolgende zal ik dit moralistische en modernistische aspect van de roman nader bekijken.

II

Disgrace is een roman die als een *bekentenis* opgevat kan worden. De protagonist wil zichzelf verklaren, zijn eigen zienswijze uitleggen en zijn innerlijke strijd (tussen drift en schuldgevoel) tonen. Een van de kernpassages met betrekking tot dit confessionele karakter van de roman is de beschrijving van de universitaire onderzoekscommissie, die analyseert wat er heeft plaatsgevonden. De commissie bestaat uit zeven leden, aan wie David Lurie een verklaring voor zijn gedrag moet afleggen. De scène wordt beschreven als een 'hoorzitting' en hoewel er geen officiële juridische consequenties aan verbonden zullen worden, speelt een wirwar van belastende termen door elkaar heen. Zo wordt gezegd dat het niet gaat om een 'proces' (het wordt ontkent, maar ondertussen is het woord wel genoemd en zo komt het gesprek toch in de justitiële sfeer terecht); Lurie bekent 'schuld'; hij erkent ook 'de waarheid van de aanklachten'; hij geeft bovendien een 'weerwoord' en presenteert ten slotte zelfs 'een biecht'. De meest belastende term die tegen hem wordt gebruikt is die van 'misbruik', maar die term neemt Lurie zelf niet in de mond. Hij gaat niet verder dan de bewering 'Ik heb van mijn positie tegenover juffrouw Isaacs gebruikgemaakt. Dat was fout en dat spijt me.'
Verder dan schuld erkennen wil Lurie niet gaan. Maar de commissie verlangt een schriftelijke uitspraak van hem over 'berouw'. Lurie weigert dat, omdat hij dat 'misschien niet oprecht' meent. Hij vindt dat de commissie zich met 'haarkloverij'

bezighoudt. Helemaal duidelijk worden zijn principes op dit punt evenwel niet, er lijkt wel degelijk iets destructiefs en een neiging tot vluchten uit de universitaire context, aan zijn handelen ten grondslag te liggen. Het lijkt alsof degene die hier een confessie doet, zijn eigen motieven tot handelen niet overziet en bewust in de contramine is. We kunnen ook nog een stap verder gaan en vaststellen dat hier blijkt dat moreel gedrag een complex is van motieven, overwegingen en gevoelens, waaruit geen duidelijke consequente lijn naar voren komt. Daarmee komen we terecht bij allerlei met elkaar samenhangende ideeën en thema's die in de roman geventileerd worden over schuld en onschuld, schenden en vergeven, verschillen tussen man en vrouw, afbakening van het persoonlijke en publieke, en de (on)mogelijkheden van taal en kunst. Deze ideeën vormen zich vaak in oppositionele paren: de waarheid blijkt steeds weer verschillende kanten te hebben. Laten we deze thema's eens een voor een langslopen.

Schuld en onschuld staan centraal in de roman en worden vooral 'doordacht' naar aanleiding van de verkrachting van Lucy. Het is opmerkelijk dat Lurie niet in dergelijke termen denkt ten aanzien van de uit de hand gelopen relatie met Melanie. David Lurie zoekt naar een verklaring voor het gebeurde met zijn dochter en formuleert die als volgt: 'Het is gevaarlijk om iets te bezitten.' Er is niet genoeg, er zijn te veel mensen en te weinig dingen. Het stelen en roven moet worden begrepen vanuit 'het systeem': er is geen menselijk kwaad, slechts een 'omvangrijk roulatiesysteem, op het functioneren waarvan mededogen en doodsangst geen invloed hebben'. Het leven in Zuid-Afrika moet bezien worden van zijn schematische kant (pg. 85). Dit is natuurlijk een intellectualistische verklaring voor de verkrachting van de blanke vrouw: de politieke, raciale en sociale omstandigheden zijn er debet aan. Alsof de mannen zelf geen blaam treft. Dit idee wordt gekoppeld aan de idee van historische ontwikkeling van het land. Verhoudingen tussen blank en zwart zijn vertekend en ontwricht door de geschiedenis. Deze opvatting biedt in zekere zin een legitimatie voor de verkrachting van Lucy. Misschien draagt de blanke vrouw een historische schuld en moet zij daarvoor boeten. Overigens komen vader en dochter op dit punt niet nader tot elkaar; hij vindt dat zij 'tegenover de geschiedenis in het stof kruipt' en zo haar eer zal verliezen (pg.139). Zij denkt dat het juist van verslagenheid door de geschiedenis zal getuigen als zij nu van het platteland wegvlucht naar de stad.

Het interessante van de roman is dat de lezer geen antwoord krijgt, geen uitsluitsel welk standpunt in de discussie het juiste is. Wat Coetzee daarmee wil

zeggen is dat er *geen oplossing is* met betrekking tot de schuldvraag; er zijn alleen verschillende perspectieven van waaruit je kunt kijken, verschillende meningen die je kunt vormen en verschillende manieren om je te handhaven in een complexe maatschappelijke context.
Natuurlijk is de hele verkrachtingsproblematiek sterk verweven met de identiteiten van man en vrouw, meester en leerlinge, vader en dochter, maar ook die van blanke bazin en zwarte werknemer. Vrouwen zijn lichamelijk kwetsbaarder dan mannen en daardoor ook makkelijker slachtoffer. 'Er moet in dit systeem ergens een aparte plaats zijn voor vrouwen en wat er met hen gebeurt', denkt Lurie als Lucy verkracht is. Daarmee constateert hij dat ook vrouwen tot 'roulatie-objecten' gemaakt zijn. Uit zijn eigen handelen als docent in Kaapstad, bleek dat eigenlijk ook al: Soraya werd als lustobject vrij makkelijk ingewisseld voor Melanie. Toch is niet alleen de man schuldig aan deze benadering van vrouwen als 'roulatie-object'. Lucy zelf onderhandelt uiteindelijk via haar vader met haar zwarte werknemer Petrus over zichzelf; zij maakt zichzelf tot object van ruilhandel. Hij moet haar en het kind beschermen (het kind als het zijne erkennen), dan zal zij hem het land geven, zijn '*bywoner*' zijn, op voorwaarde dat het huis van haar blijft en dat niemand dat betreedt zonder haar toestemming. Zij ruilt haar lichamelijke vrijheid dus in voor een fysieke plaats waar zij alleen kan zijn.
Lucy wint aan zelfstandigheid, door een aanzienlijke mate van vrijheid en aanzien in te leveren. Hier spelen op ingewikkelde manier het persoonlijke en publieke, maar ook eergevoel en gevoel van vernedering door elkaar heen. De verkrachting wordt door Lucy voorgesteld als een strikt persoonlijke zaak. 'In een andere tijd, op een andere plek werd het misschien als een publieke zaak beschouwd. Maar hier, en nu, is het dat niet. Het is mijn zaak, van mij alleen.' (pg. 97). Het gaat om het recht op geheimhouding, dat wellicht ook te maken heeft met gevoelens van schaamte. Maar de schaamte hangt in deze roman ook samen met een idee van loutering: vanuit het niets-meer-bezitten kan misschien iets nieuws opgebouwd worden. Het is een uiterst tragische passage waarin Lucy dat aan haar vader duidelijk maakt:

> 'Nee, ik ga hier niet weg. Ga Petrus maar vertellen wat ik heb gezegd. Vertel hem dat ik het land opgeef. Vertel hem dat hij het kan krijgen, het eigendomsrecht met akte en al. Dat zal hij fantastisch vinden.'

> Ze zwijgen allebei een tijdje.
> 'Wat vernederend,'zegt hij uiteindelijk. 'Zulke hoge verwachtingen, en dan zo te eindigen.'
> 'Ja, ik ben het met je eens, het is vernederend. Maar misschien is dat een goed vertrekpunt. Misschien moet ik dat leren aanvaarden. Om van de grond af aan te beginnen. Met niets. Niet: met niets, behalve. Met niets. Zonder troeven, zonder wapens, zonder eigendom, zonder rechten, zonder waardigheid.'
> 'Als een hond.'
> 'Ja, als een hond.'

De laatste woorden zijn een referentie aan het slot van Kafka's roman *Der Prozess*, waarin Josef K. sterft nadat een mes in zijn hart is gestoken: '"Wie ein Hund!" sagte er, es war, als sollte die Scham ihn überleben.' Op het moment van de dood is er alleen de schaamte die achterblijft.
Toch is het ten slotte deze les van vernedering en van het distantiëren van de medemens die ook Lurie aanvaardt. De roman eindigt met een scène waarin hij afstand doet van het laatste dat hij bezit: de trouw van een armzalige hond. Lurie brengt hem naar de dierenverzorgster die hem zal afmaken. Nu is er na het verlies van baan, huis en carrière, en na de vaststelling dat het werk over Byron nooit voltooid zal worden, niets meer over. Zelfs de fascinatie voor de schoonheid van muziek en poëzie biedt geen illusie meer. De lezer blijft aan het slot van de roman met een onbehaaglijk gevoel achter.

III

De ideeën die we in de *Disgrace* gepresenteerd krijgen, tonen een opvallende verwantschap met opvattingen die we in romans van Fjodor Dostojevski tegenkomen. Coetzee sprak in 1985 in een interview met David Atwell zijn bewondering uit voor het werk van Dostojevski (en Tolstoi) en kent het goed, getuige zijn *The Master of Petersburg* (1994) waarin een *fictieve* beschrijving wordt gegeven van een episode (het jaar 1869) uit het leven van Dostojevski. In deze roman vermengt Coetzee een aantal biografische feiten met gegevens uit Dostojevski's *Boze geesten*, hetgeen resulteert in een verraderlijk verhaal over een vader die na het sterven van zijn stiefzoon bemerkt dat de jongen in de laatste maanden van diens leven deel uitmaakte van een anarchistische –

we zouden tegenwoordig spreken over terroristische – groepering. Politieke ideologie en persoonlijke frustraties blijken ook in dit verhaal op ingewikkelde wijze met elkaar verweven te zijn. En ook hier raakt de lezer verstrikt in kwesties van verantwoordelijkheid, schuld en rijkdom. De vader komt er ten slotte achter dat hij zijn zoon niet goed heeft gekend.
Coetzee schreef in 1983 een prachtig, ingewikkeld essay over het werk van Dostojevski, *Confession and Double Thoughts: Tolstoy, Rousseau and Dostoevski,* dat voor ons betoog relevant is. In dit essay analyseert hij onder andere Dostojevski's novelle *Aantekeningen uit het ondergrondse* (1864), waarin een onaangepaste, cynische ik-figuur vertelt over zijn ontmoeting met de prostitué Liza. Wat Coetzee intrigeert in deze confessionele tekst is niet de ambivalentie van de gevoelens van haat en liefde voor het meisje, niet de intimidatie, lompheid of zelfs onmenselijkheid die de verteller laat zien, maar de status van de autobiografie als een spel van eerlijkheid en leugens, waarin verschillende waarheden *gelezen* kunnen worden. Degene die aan het woord is en zichzelf probeert te analyseren, loopt in zijn verklaringen vast, goochelt met 'boekentaal' om zichzelf achter te verstoppen en weet op dat moment dat hij een masker draagt. Coetzee beschouwt dit thema van de novelle als een *filosofisch* thema dat in het werk van Dostojevski steeds opnieuw aan de orde wordt gesteld. Daarbij gaat het niet om een Freudiaanse, psychologische analyse van een zelf (een personage of individu), maar om het denken en uitbeelden van 'de zelf' (*the self*). De mens kan zijn eigen waarheid niet kennen, omdat hij zichzelf voortdurend bedriegt. Ware confessie komt niet naar voren uit een monoloog, of uit een gesprek dat een individu met zichzelf voert, maar uit 'faith and grace'. Geloof en gratie, of zelfs genade, daar gaat het uiteindelijk om in het werk van Dostojevski. Coetzee noemt hem in dit opzicht de erfgenaam van een 'meer vitale christelijke traditie dan het Westerse christendom' (Atwell, pg. 244).

Wat mij blijft fascineren in de teksten van Coetzee en Dostojevski, is, dat de vraag naar de schuld en verantwoordelijkheid van het individu, hoewel hij niet definitief te beantwoorden is, *toch* wordt gesteld. Anders gezegd: deze schrijvers laten de zinloosheid van het moderne bestaan in deze wereld zien, maar accepteren haar niet en doen pogingen tot zingeven. In hun fictieve personages, 'de man uit het souterrain' en de moderne wetenschapper David Lurie, proberen Dostojevski en Coetzee de illusieloosheid van de moderne tijd te ver-

beelden en te doorbreken. De schrijvers bieden geen troost, zoeken geen antwoord in avant-gardistische absurditeit, maar trachten in een intellectueel spel van wikken en wegen een 'zin' te vinden. Dat is een tijdelijke zin, een tijdelijk antwoord, maar toch iets om als schrijver én lezer mee bezig te zijn. In het denken dat met de literaire verbeelding wordt gepresenteerd en op gang gebracht, ligt de zinvolle handeling, een momentane samenhang der dingen.
Deze twee auteurs horen bij elkaar, hoewel er een eeuw tussen hun schrijven ligt. In *De aantekeningen uit het ondergrondse* spreekt de verteller zich uit tegen de systematiek van de moderne wereld, tegen de regels die de mens van bovenaf zijn opgelegd, tegen het al te rationele denken. Het is pijnlijk om te zien dat de niet-onschuldige man zich alleen weet te handhaven door zich terug te trekken in 'zijn hol'. Het bewuste isolement van het individu is een reactie op een al te georganiseerde, maar ook moreel verzwakte samenleving. Dit is ook de reden waarom Lucy Lurie zich terugtrekt in haar huis: aan schuld valt niet te ontkomen, in de historische context draag je medeverantwoordelijkheid, en als buitenstaander zul je je aan eigen morele wetten moeten onderwerpen.
Beide romanciers schrijven een realistisch betoog en positioneren hun personages in een voorstelbare entourage. Natuurlijk verschillen de negentiende-eeuwse Russische stadstaferelen van het twintigste-eeuwse Zuid-Afrika, is het ene landschap anders dan het andere, maar er zijn overeenkomsten waar het gaat om politieke beladenheid, scherpe sociale scheiding van rijk en arm en van onbegrip tussen de intellectueel geschoolde en de 'gewone' man. In dit opzicht presenteren beide schrijvers werelden die ver van de wat gezapige hedendaagse Nederlandse welvaartsmaatschappij afliggen.
Interessant is dat de auteurs opposities beschrijven, verschillende kanten van de medaille laten zien, en daarna de 'waarheid' uitstellen. Zij analyseren, zonder te veel te psychologiseren. Dat is ook meteen het duidelijke verschil tussen Tolstoi's personage Anna Karenina en Dostojevski's Raskolnikow uit *Misdaad en Straf*, en Coetzee's Lucy Lurie uit *Disgrace* of Elizabeth Curren uit *Age of Iron* (1990). De nadruk valt niet op de psychologie, maar op de filosofie; op de vraag wat de grens is tussen gevoel en ratio, tussen geweten, schuld en overlevingsdrang. Een zelfgekozen dood, zoals Anna Karenina die kiest, is nooit een antwoord voor personages van Dostojevski of Coetzee.
Natuurlijk zijn er ook sporen van honderd jaar denken en dichten die verschillen markeren tussen beide oeuvre's. Coetzee wordt door literatuurcritici vrij mak-

kelijk ingelijfd bij de postmodernen die de waarden van begrippen relativeren. Dostojevski past niet in dat discours, omdat in zijn twee grote romans tenslotte de zuiverheid van de protagonisten aan de orde wordt gesteld. Raskolnikow wordt 'gered' door het geloof van zijn geliefde Sonja. En van de broers Karamazov is de jongste zoon Aljosja de uiteindelijke held, degene die het meest zuiver handelt omdat hij *weet* wat goed en kwaad is. Coetzee verwoordt deze religieuze tendens van Dostojevski's werk treffend in het interview uit 1985:

> Against the endlessness of skepticism Dostoevsky poses the closure not of confession but of absolution and therefore of the intervention of grace in the world. In that sense Dostoevsky is not a psychological novelist at all: he is finally not interested in the psyche, which he sees as an arena of game-playing, of the *middle* of the novel. (Atwell, pg. 249)

Toch blijkt Coetzee aan het slot van zijn roman *The master of Petersburg* een andere Dostojevski neer te zetten, niet die van *Misdaad en straf* of *De gebroeders Karamazov*, maar de meer vileine auteur van *Boze geesten*, die een personage ontwerpt dat een kind verkracht. Op dat moment beseft Coetzee, die in de huid van Dostojevski kruipt, waar het schrijven toe leidt:

> Hij weet wat hij doet. Tegelijkertijd staat hij, in deze wedstrijd in listigheid tussen hem en God, buiten zichzelf, misschien zelfs buiten zijn ziel. Terwijl God en hij om elkaar heen draaien staat hij ergens toe te kijken. En de tijd staat stil en kijkt ook toe. De tijd is opgeschort, alles is opgeschort voor de val.
> *Ik heb mijn plaats in mijn ziel verloren*, denkt hij. (pg. 191)

Dit is het Faustiaanse thema van de schrijver die zijn ziel verliest, die boosaardige scènes beschrijft. Scènes waar hij zelf schuld aan heeft door ze te bedenken en te verbeelden. Maar alleen door deze schuld op zich te nemen, door hem manhaftig onder ogen te zien, zal er begrip en daarmee misschien uiteindelijk ook zoiets als *verlossing* mogelijk zijn.

Literatuur

1. J.M. Coetzee, *Age of Iron*, London: Secker and Warburg, 1990.
2. J.M. Coetzee, 'Confession and Double Thoughts: Tolstoy, Rousseau and Dostojevski',. in: J.M. Coetzee, *Doubling the Point, Essays and Interviews.* Ed. By David Atwell, Cambridge Massachusetts./London: Harvard Univ. Press, 1992; pg. 241-251.
3. J.M. Coetzee, *The Master of Petersburg*, London: Secker and Warburg, 1994. Vertaald door Frans van der Wiel, *De meester van Petersburg*, Baarn: Ambo, 1995.
4. J.M. Coetzee, *Disgrace*, London: Secker and Warburg, 1999. Vertaald door Joop van Helmond en Frans van der Wiel, *In ongenade*, Amsterdam: Ambo, 1999.
5. F.M. Dostojevski, *Verzamelde werken*, Amsterdam: G.A. Van Oorschot, 1958 (11 dln.).
6. Joseph Frank, *Dostoevsky, The miraculous Years 1865-1871*, London: Princeton Univ. Press/Robson Books, 1995.

Is schoonheid propaganda?

Over het verlies van onschuld en de films van Leni Riefenstahl

Sophie de Boer

> *They kept asking me over and over again whether I was having a romance with Hitler. 'Are you Hitler's girlfriend?' I laughed and answered the same way each time: 'No, those are false rumours. I only made documentaries for him.'*
> Leni Riefenstahl over haar tour door de Verenigde Staten in 1938, *A memoir*, 1995.

afb. 1

De Duitse kunstenares Leni Riefenstahl (1902) was ooit Hitlers favoriete regisseur (afb. 1). Ze was mooi en ambitieus, een vrouw in een mannenwereld. Haar talent werd echter haar noodlot. De ijverige Riefenstahl sloot namelijk in de jaren dertig een pact met de duivel en maakte in opdracht van de NSDAP[1] 'documentaires' voor Hitler. Zeer bekend onder haar regie is Triumph des Willens (1934), een bijna twee uur durende film over de Neurenbergse nazi-partijdag. Het werd een document dat filmgeschiedenis maakte en waarin Riefenstahl Hitler neerzet als een idool voor de massa. Met deze film bouwde ze ongetwijfeld mee aan de mythe van Hitler als verlosser van Duitsland. Ook haar film over de Olympische Zomerspelen van Berlijn in 1936, *Olympia: Fest der Völker, Fest der Schönheit* (1938), is omstreden.
Na de Tweede Wereldoorlog deed Riefenstahl openlijk afstand van het nazi-re-

gime. Maar de films van Riefenstahl worden evenwel, tot ongenoegen van de regisseur zelf, wereldwijd gezien als nazi-propaganda. Er ligt een smet op de films en tot voor kort hadden maar weinig mensen interesse in Riefenstahls oeuvre. In 1993 echter maakt regisseur Ray Müller de documentaire *The Wonderful, Horrible Life of Leni Riefenstahl.* Een indrukwekkende film waarin de dan inmiddels negentigjarige Riefenstahl vertelt over haar leven en werk. Ze zegt zich van geen kwaad bewust te zijn en verkondigt, met een stalen gezicht, dat ze niet op de hoogte was van de slechte bedoelingen van Hitler. Ze heeft, vertelt ze, uit artistiek oogpunt gehandeld en hield zich niet bezig met politiek. Was Riefenstahl werkelijk zo naïef? Hieronder volgt een betoog over schuld en onschuld, kunst en propaganda. Met in de hoofdrol de gevallen engel Leni Riefenstahl.

Triumph des Willens

Propaganda wordt het nu genoemd, de film *Triumph des Willens* (afb. 2) van Riefenstahl. Tot op de dag van vandaag daarentegen houdt de filmmaker vol dat de verfilming van de zesde Rijkspartijdag als documentaire tot stand is gekomen en pas achteraf zijn verdorven imago kreeg. *Triumph des Willens* is volgens de regisseur geen propaganda 'en daarmee uit'. Om haar standpunt enigszins te verdedigen legt ze in Müllers *The Wonderful, Horrible Life of Leni Riefenstahl* uit: 'Er is zelfs geen commentaar aan toegevoegd. Ik legde alles vast zoals het er destijds aan toeging.' Het klopt inderdaad dat de beelden niet, zoals in de toenmalige propagandistische filmjournaals, worden verklaard door een commentaarstem. Alles lijkt daarom 'natuurgetrouw' geregistreerd te zijn. Maar Riefenstahl manipuleerde beeld en toeschouwer wel degelijk met haar ongebruikelijke camerastandpunten en

afb. 2

revolutionaire montagetechnieken. Hierdoor is *Triumph des Willens* veel minder statisch dan de gebruikelijke journaals. Door met rolschaatsende cameramensen te werken, introduceerde ze namelijk een nieuwe, actievere manier van vastleggen. Daarnaast zocht ze naar een goede verbinding tussen de scènes en een juist verloop in grijstonen. Het moest een film worden, zoals een goede muzikale compositie, toewerkend naar een hoogtepunt. Riefenstahl zegt dat dit Hitlers nadrukkelijke wens was, want *der Führer* wilde een filmverslag dat door de ogen van een kunstenaar werd gemaakt. Als Müller Riefenstahl ermee confronteert dat deze artistieke verdichting juist de verheerlijking in de hand heeft gewerkt en velen haar om die reden als verleidster zien, vindt Riefenstahl deze mensen uitgesproken dom. Domkoppen zijn het. Zij had toch geen verantwoordelijkheid voor het politieke motief van de film? Ze wilde een spektakel filmen. Of het nu om politiek ging of om groenten en fruit. Dat was haar om het even, want politieke verantwoordelijkheid als kunstenaar bestaat niet. Ze filmde slechts het politieke klimaat, de tijdgeest van Duitsland. Dan vervolgt ze haar betoog met: 'Niet één grote meester maakt tijd of heeft gevoel voor politiek. Noch Rubens, noch Michelangelo of de impressionisten hebben zich hieraan schuldig gemaakt.' Het was zeker niet háár verantwoordelijkheid hoe de beelden werden ontvangen in een tijdperk waar zelfs nog geen televisie bestond, meent ze. Haar intentie was immers zuiver. Ze had geen politieke reden gehad om de film te maken. Compositie, camera-instelling en de door de montage ontstane choreografie was de drijfveer geweest.

Illusie

Partijlid van de NSDAP is Riefenstahl inderdaad nooit geweest. Maar maakt dat *Triumph des Willens* vrij van propaganda? Riefenstahl geeft namelijk geen getrouw beeld van de Rijkspartijdag. Wat we niet te zien krijgen in haar 'documentaire' is de chaos achter de schermen van het grootse evenement. Merkwaardig, Riefenstahl verkondigde juist zo stellig dat ze alles vastgelegde zoals het er destijds aan toe ging. Thomas Leeflang schrijft over de wanorde op de Rijkspartijdag in zijn *boek Gevallen Engel: leven en werk van Leni Riefenstahl*:

> Iedereen ontving een lijst met voorschriften (...) De 'kleine man' moest zich ondergeschikt maken en grootmoedig zijn bijdrage leveren aan het wel-

slagen van de NSDAP-eredienst. Allerlei ongemakken moesten met opgewekt gemoed voor lief worden genomen: in dikke uniformen urenlang wachten in de snikhete zon, genoegen nemen met een homp brood en een paar worstjes, niet gefrustreerd raken door de voor zo'n geweldige hoeveelheid mensen ontoereikende sanitaire omstandigheden (...) Bij de opening van de bijeenkomst moesten al honderden mensen per brancard worden afgevoerd naar EHBO-posten, ziekenbarakken en ziekenhuizen. Ooggetuigen verklaarden later dat het doorgaans zo rustige Neurenberg, in de eerste week van september 1934, zoals gewoonlijk weer een chaotische indruk maakte. Mensen rustten uit in portieken, op trappen en in plantsoenen, dikwijls werd de nacht in de openlucht doorgebracht.'[12] (afb. 3)

Riefenstahl maakte hier geen opnamen van. Ze zag het NSDAP-congres 'van bovenaf' en zorgde ervoor dat de conferentie er op het witte doek mooier uitzag dan ze het in werkelijkheid aantrof. Ook aan de aanwezige invalide NSDAP-leden verspilde ze geen enkele meter film. Met als effect dat wie de partijdag niet had bezocht en de overweldigende film in de bioscoop bekeek echt het gevoel kreeg iets te hebben gemist. *Triumph des Willens* maakt zich daarom wel degelijk schuldig aan propaganda, want Riefenstahl maakte reclame door doelgericht éénzijdig te belichten. De bioscoopbezoeker nam hierdoor op overtuigende wijze kennis van een illusie; de NSDAP als partij voor de toekomst met Hitler als onkwetsbare superheld aan het roer.

afb. 3

Olympia: Fest der Völker, Fest der Schönheit

Hoe zit het dan met het tweedelige *Olympiade-verslag Olympia: Fest der Völker, Fest der Schönheit*? Deze film, over de geweldige fysieke prestaties van de Olympische sportlieden, is in opdracht van het Olympisch Comité vervaardigd,

maar uiteindelijk gefinancierd door de NSDAP.[3] Riefenstahl nam haar tijd, want pas twee jaar na dato draaide *Olympia* in de bioscopen. Waarom? Het moest een grootse vertoning worden en vooral een genot voor het oog. En dat is zeker gelukt. De prachtigste scènes zijn die van het schoonspringen. Riefenstahl monteerde de beelden zozeer dat de schoonspringers als vogels door de lucht lijken te zweven (afb. 4). Boze tongen beweren dat *Olympia* is gemaakt in de geest van de nazi-filosofie en het 'arische oppergezag' zou volgens velen het fundament zijn van de film. Aan de beelden is dat niet direct af te leiden. De opnamen van donkere atleten, zoals die van de Amerikaan Jesse Owens, zijn met evenveel liefde en vakkundigheid gemaakt als die van de blonde Duitse sportlieden. Niet bepaald een nationaal-socialistisch standpunt. Wat was dan wel Riefenstahls uitgangspunt? Dat was een verbeelding van lichamelijk vermogen, wilskracht en fysieke schoonheid. In *Olympia* dient de kunstenares de pracht van de fysieke volmaaktheid van het menselijk lichaam. Esthetische overwegingen, niet meer of minder dan dat, vormen het uitgangspunt van Riefenstahls Olympisch verslag.
Surfend op internet stuit ik op een interessante stelling. Een anoniem persoon is onder de indruk van Riefenstahls *Olympia* en schrijft:

Is Beauty Propaganda?
I've read that this film, which portrays human beauty and athletic success, serves to justify euthanasia of the weak and infirm. If so, does not Da Vinci's David [bedoeld wordt de David van Michelangelo SdB] does the same? My belief is that without the historical context, there would not be a single viewer who would suggest that this is propaganda fostered to support the atrocities of the Nazi Regime. (...) The beauty of this film and its companion lies in its crafting. The lighting, the camera angles, the sequencing, the pace – everything is blended

afb. 4

> to produce a thing of beauty. It's like the chef who creates a feast with the same ingredients we manage to render a barely palatable meal. Leni produces a feast – a beautiful feast!

Feitelijk ondertekent de schrijver van bovenstaand citaat Riefenstahls mening. Ook hij is ervan overtuigd dat een kunstenaar geen politieke verantwoordelijkheid hoeft te dragen. Er valt namelijk tussen zijn regels door te lezen dat de historische achtergrond van *Olympia* er niet toe doet. Hij schrijft dat Riefenstahl er slechts een mooi feest van maakt en meer mogen we er niet aan verbinden. Klinkt aannemelijk, maar graag maak ik hier toch een kanttekening. Een kunstwerk is een product van de tijd, de plaats en de context waarin het is gemaakt. Het proces waarin een kunstenaar is verwikkeld is een voortdurende strijd, waarin keuzes worden gemaakt. Niet alle keuzes blijken achteraf even gelukkig. Zoals ook het besluit van Riefenstahl om een dictator als opdrachtgever te verkiezen gezien haar a-politieke overtuiging. Ze misbruikte haar talent om te werken voor een despoot om naar verloop van tijd genoeg geld te hebben om de films te maken die ze uiteindelijk wilde maken. De film *Tiefland* (1940/1954)[4], waarin ze zelf de hoofdrol van de dansende zigeunerin Martha vertolkt, is een voorbeeld van een 'vrije' film waarnaar haar hart uitging. Tot haar grote spijt werd ze, als regisseur van de duivel, niet meer voor 'vol' aangezien en heeft ze haar droom om autonome filmproducties te maken nooit echt kunnen verwezenlijken.

Selectie

In *Olympia* draait het, zoals boven is beschreven, om fraaie beelden. En om dit voor elkaar te krijgen selecteerde Riefenstahl volop. De auteur Leeflang schrijft over deze ballotage:

> Met *Olympia* legde ze getuigenis af van haar geloof in de fysieke volmaaktheid, de geüniformeerde mannen uit *Triumph des Willens* kleedde ze als het ware uit. In haar verlangen naar schoonheid discrimineerde ze in *Olympia* onbarmhartig. Te dunne armen of benen? Te smalle schouders, niet sporende ogen? Dan niet in de Olympiade-film. Die houding sloot prima aan bij de fascistische esthetica, er zijn vergelijkingen gemaakt met het selecteren in concentratiekampen: jij naar links, jij naar

> rechts. (...) In haar adoratie van lichamelijke (mannelijke) volmaaktheid was Riefenstahl op één punt waarachtig eerlijk: ze maakte geen onderscheid in ras; blank, geel of bruin, het maakte haar niet uit. Vandaar dat door haar manier van filmen en monteren Jesse Owens uit Cleveland de grote held van de Olympiade van 1936 werd en dat Oppertoeschouwer Adolf Hitler en de succesrijke Duitse turner Schwarzmann genoegen moesten nemen met een bijrol.[5]

Gezien haar achtergrond is Riefenstahls obsessie voor perfecte (bewegende) lichamen niet zo verwonderlijk. Op twintigjarige leeftijd begint ze haar carrière als danseres. Na een knieblessure krijgt haar loopbaan een andere wending. Dansen mag niet meer, maar acteren kan ze als geen ander. Ze solliciteert op eigen houtje naar een hoofdrol in de natuurfilms van de bekende Duitse regisseur dr. Arnold Fanck. De mooie Riefenstahl wordt met open armen de Duitse filmwereld binnengehaald. *Der Heilige Berg* (1926) is de eerste film van een reeks 'kaskrakers' waarin Riefenstahl metershoge, besneeuwde bergtoppen beklimt. Zelfs nu, op hoge leeftijd, is ze sportief. De honderdjarige regisseur houdt zichzelf jong met vitaminepreparaten en gymnastiekoefeningen. Bovendien is zij een fanatiek persluchtduiker en maakt zij prachtige onderwateropnamen. In 2002, ter ere van haar honderdste verjaardag, komt haar nieuwste film uit: *De wondere wereld onder water in de Indische Oceaan*.

Maar mag de schoonheid in *Olympia* door een verbeelding van het mooie en schone dan geen propaganda genoemd worden? Bovengenoemde 'Internetschrijver' vergelijkt Riefenstahl met de Renaissancekunstenaar Michelangelo Buonarrotti (1475-1564). Hij stelt vast dat Riefenstahls *Olympia* en Michelangelo's *David* (1504) op een zelfde heldhaftige schoonheid zijn gestoeld. Daarnaast begeeft hij zich op glad ijs als hij schrijft dat als in *Olympia* de euthanasie van de zwakken gerechtvaardigd wordt, dat Michelangelo's *David* dat ook doet. Naar mijn mening een vergelijking van appels met peren. Wel overeenkomstig is dat Michelangelo en Riefenstahl hun inspiratiebron vinden in het antieke verleden van de Grieken. Ze idealiseren de menselijke gestalte, zodat het goden lijken uit een andere wereld. Als we de *David* van Michelangelo (afb. 5) vergelijken met een filmstill uit *Olympia* (afb. 6) is de overeenkomst inderdaad treffend. We zien twee heldhaftige figuren met een uitdagende blik, vastberaden, met hun gespierde tors en krachtige nek. De aders op beider han-

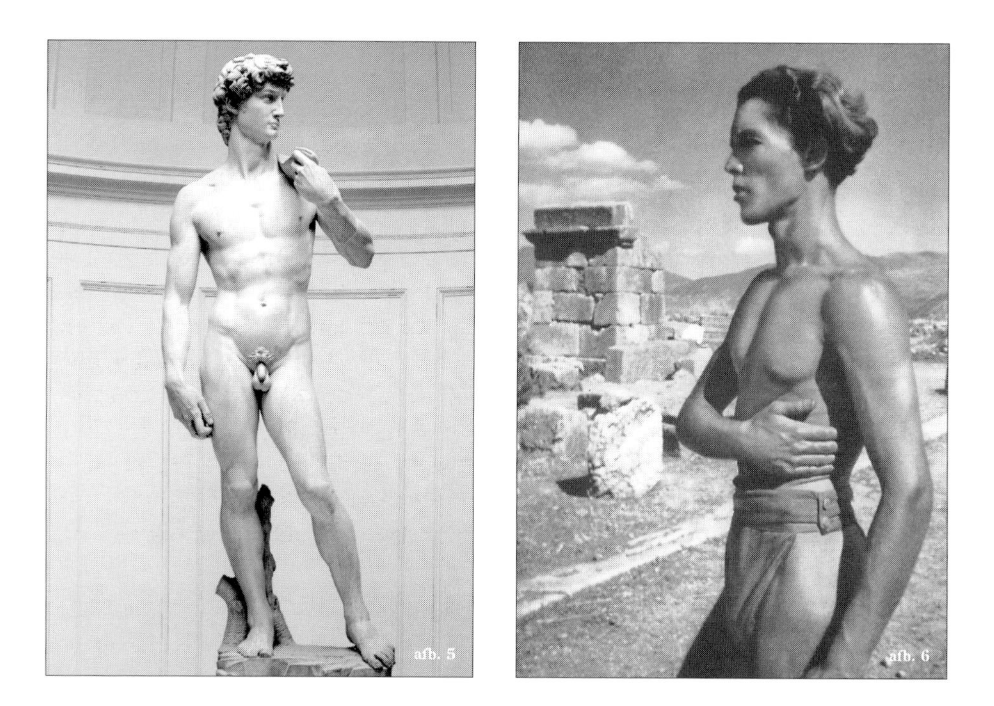

den verklappen een uiterlijke onbewogenheid, maar een innerlijke spanning. Riefenstahls schoonheid is alleen oppervlakkiger. Haar 'figurant', de Griekse estafetteloper Anatol Dobriansky, lijkt niet meer dan een mannequin naast de *David* van Michelangelo. Bij Michelangelo was het uiteindelijk niet alléén om schoonheid te doen. De meer dan levensgrote *David* belichaamt namelijk Michelangelo's neoplatoonse opvatting van het lichaam als gevangenis van de ziel. Het neoplatonisme vertegenwoordigt een complexe theorie, maar simpel gezegd zit onze geesteskracht opgesloten in de materie van het lichaam. Dit idee is ook in Michelangelo's *David* te zien, want het beeldhouwwerk is toebedeeld met onderdrukte energie, en lijkt uiterlijk beheerst, maar is van binnen gespannen en uitdagend. Michelangelo volgt hierin het concept van een uit vier lagen bestaand universum; de materie, de natuur, de wereldziel en de wereldgeest. De materie is het laagst, hoe spiritueler en niet aardser, des te beter. Voor de neoplatoonse mens gold dat het 'lagere' lichaam en de 'hogere' geest voortdurend verwikkeld waren in een strijd. Voor Michelangelo is daarom de idee die gematerialiseerd wordt een belangrijk uitgangspunt in zijn kunst.

Met dit in ons achterhoofd is Riefenstahls figurant slechts een kitscherig decorstuk bedoeld om Olympia een zinderende entree te geven.

'Entartete Kunst'

Juist door haar hang naar schoonheid maakt Riefenstahl zich schuldig aan propaganda. Hitler en zijn propagandaminister Goebbels verklaarden namelijk de kunst van de avant-gardekunstenaars als 'entartet'. Het werd een term uit het jargon van de Duitse nationaal-socialistische kunstideologie die sedert 1933 in gebruik raakte. Door de avant-gardekunst als 'entartet' te bestempelen, emigreerden veel progressieve kunstenaars naar de Verenigde Staten en Mexico. De bedoeling was om duidelijk aan te tonen hoe gedegenereerd de moderne kunst was in tegenstelling tot de zogenaamde 'Deutsche Kunst'. Talrijke kunstenaars werden afgewezen en vele kunstwerken verbrand, onder andere van Pablo Picasso, Marc Chagall, en Wassily Kandinsky. Goebbels sprak zich als volgt uit over de 'ontaarde' kunst:

> Voor de reinheid van het Duitse kunstgevoel heeft de Jood geen begrip. Wat hij kunst noemt, moet zijn 'ontaarde' zenuwen prikkelen. Er moet een geur van verrotting en ziekte omheen hangen (...) Deze fantasieën van zieke breinen, worden ook door Joodse kunsttheoretici aangeprezen als hoogst artistieke openbaringen.[6]

Ontaarde zenuwen, een geur van verrotting en ziekte. Wat was dan 'gezonde' kunst?, vragen we ons af. Daar waren Hitler en zijn propagandaminister het over eens. Heilzaam was elke ware kunst uitgerust met het stempel van de schoonheid. De kunstenaar moest de moed opbrengen om deze ware schoonheid te vinden. Op de eerste plaats deed de kunstenaar dat door zo natuurgetrouw de werkelijkheid na te bootsen en op de tweede plaats diezelfde natuur daarna te idealiseren. In 1937 in het Münchener Hofgarten-Gebäude werd een tentoonstelling geopend waar Hitlers verantwoorde kunst werd geëxposeerd. Zijn uitverkoren kunstenaars hadden hun best gedaan om vooral de antieke Grieken te evenaren, maar waren niet veel verder gekomen dan kitsch.
Als we Hitlers schoonheidsgevoel terugkoppelen naar de schoonheid in *Olympia,* moeten we concluderen dat Riefenstahl helemaal in de geest van de nazi-filosofie filmde. Zij creëerde een feest van schoonheid en probeerde daarmee de

werkelijkheid niet alleen na te bootsen, maar vooral te idealiseren. *Olympia* gaat namelijk over fysieke volmaaktheid en derhalve speelde Riefenstahl in op het kunstgevoel van Hitler en zijn schoonheidscommissie. Op de vraag: 'Is schoonheid propaganda?' moet ik zeggen: 'Ja, in dit geval wel.' Riefenstahl handelt weliswaar uit zuiver esthetische gronden, maar haar film drukt het nazistempel van schoonheid op zich en verliest daarmee haar onschuld.

Schuld of onschuld?

Het komt erop neer dat Riefenstahl ons wil doen geloven dat ze niets van de verschrikkingen van het nationaal-socialisme afwist. In feite wilde ze het gewoon niet weten. Sommigen zeggen dat ze de holocaust niet had kunnen voorzien, omdat de films in de vroege jaren dertig zijn opgenomen. Maar iedereen, die zijn ogen open hield althans, had iets kunnen vermoeden. Hitler trok al in 1933 alle macht naar zich toe. Ook zijn ideeën over het joodse volk heeft hij nooit onder stoelen of banken gestoken. Het gevaar van het idealiseren en propageren van de (arische) 'Übermensch', het bestrijden en zelfs verwijderen van alle in Hitlers optiek 'mislukte' mensen was voor ieder die de ogen niet stijf dichtkneep wel duidelijk. We kunnen echter niet bewijzen dat Riefenstahl met *Olympia* en *Triumph des Willens* moedwillig propaganda maakte voor de nazi's. Riefenstahl verplaatst zich namelijk graag in de slachtofferrol als het gaat om de schuldvraag. Ze wordt wel eens 'de blinde' genoemd 'die niets wilde weten'. Of ze nu naïef was of doelbewust propaganda maakte, doet er eigenlijk niet toe. Een feit is dat ze met haar films bewust of onbewust meewerkte aan de gekte en massahypnose van Hitler-Duitsland. Dit wil overigens niet zeggen dat haar kunst van generlei waarde is. Riefenstahl mag dan een gevallen engel zijn door haar pact met de duivel en het aannemen van de 'appel Goebbels', toch wordt ze steeds meer gerespecteerd door haar vakmanschap. Ze maakte filmgeschiedenis door haar revolutionaire montagetechnieken en ongebruikelijke camerastandpunten en bracht hiermee een niet meer terug te draaien kentering teweeg in de filmwereld. Of ze het voordeel van de twijfel krijgt, moeten we afwachten. Ter ere van haar honderdste verjaardag is namelijk op 22 augustus jongstleden, haar nieuwste vrije film uitgekomen. Riefenstahl is er niet onder te krijgen en werkt nog steeds met hart en ziel. Een markante vrouw die door verkeerde keuzes, verkeerde plaats en tijd, haar eigen graf groef.

Noten

1. National Socialistischer Deutsche Arbeiter Partei. Toen Hitler in 1933 absoluut heerser werd over de Duitse Republiek, was de NSDAP de grootste partij in Duitsland.
2. Thomas Leeflang, *Gevallen Engel: leven en werk van Leni Riefenstahl*, Zutphen, 2000, pg. 69.
3. Thomas Leeflang, *Gevallen Engel: leven en werk van Leni Riefenstahl*, Zutphen, 2000, pg. 74-75.
4. Meer dan vier jaar werkte Riefenstahl in oorlogstijd aan *Tiefland*. Het ruwe filmmateriaal werd na de oorlog in beslag genomen door de Franse geallieerden. Na een aantal rechtszaken kreeg Riefenstahl het materiaal terug en pas jaren later op 15 februari 1954 ging de film in het E.M.Theater in Stuttgart in première.
5. Thomas Leeflang, *Gevallen Engel: leven en werk van Leni Riefenstahl*, Zutphen, 2000, pg. 73-74.
6. Ray Müller, *The Wonderful, Horrible Life of Leni Riefenstahl*, 1993.

Literatuur

1. Thomas Leeflang, *Gevallen Engel: leven en werk van Leni Riefenstahl*, Zutphen, Walburg Pers, 2000.
2. Ray Müller, *The Wonderful, Horrible Life of Leni Riefenstahl*, 1993 (documentaire).
3. Angelika Taschen, *Leni Riefenstahl: Five Lives*, Keulen, Taschen, 2000.

II

Welhaast perfect onschuldige beelden

Fotografie:
Rebekka Engelhard
Ruud van Empel
Rolph Gobits
L.J.A.D. Creyghton
Jerome Esch

Inleiding door Pieter Siebers

REBEKKA ENGELHARD

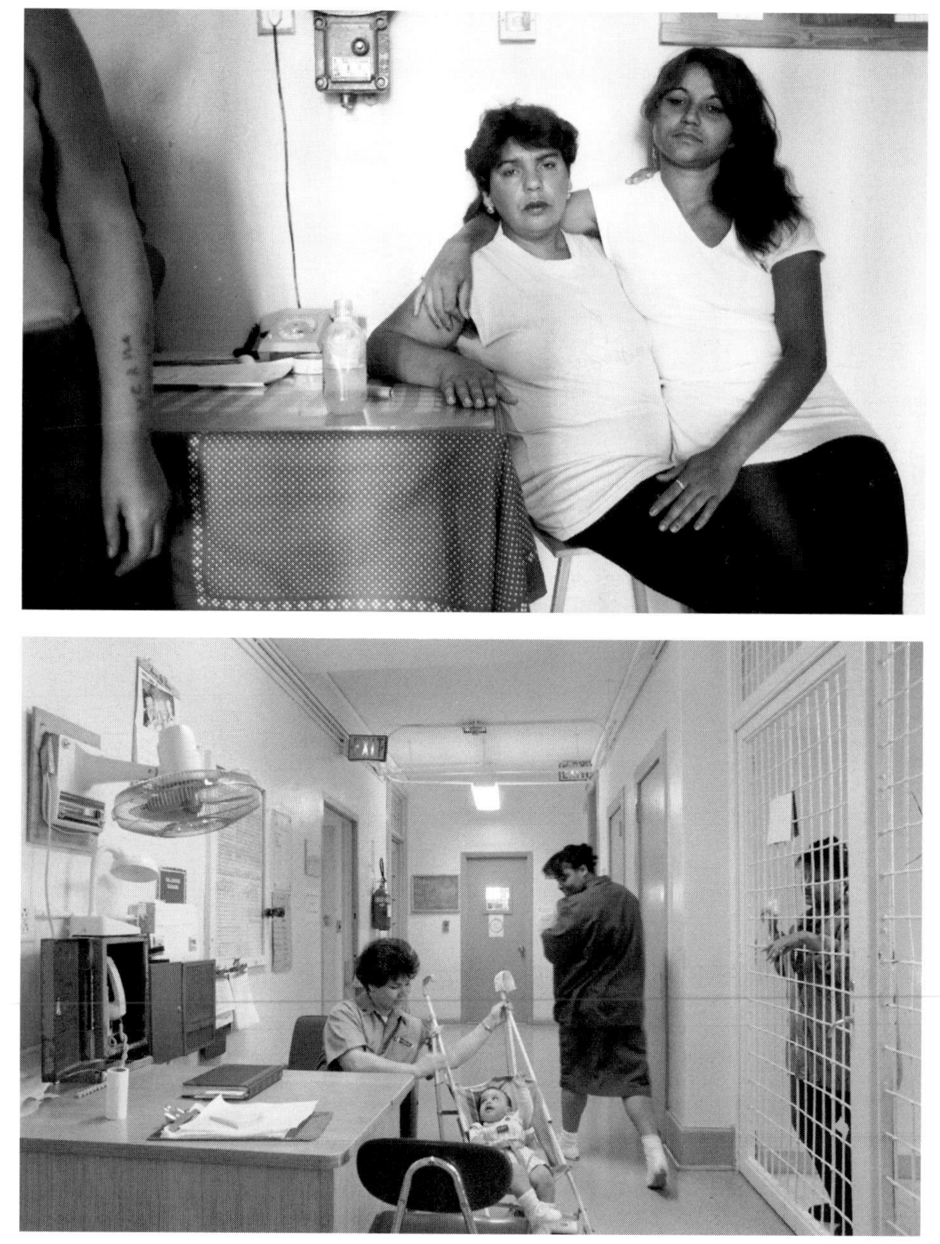

Кислякова

Rebekka Engelhard

Ruud van Empel

DICIEMBRE / De
1
5 6 7 8
12 13 14 15
19 20 21 22
26 27 28 29

Rolph Gobits

PAOLO SOPRANI

CHILDRENS
PLAYTIME
227 FUU

L.J.A.D. Creyghton

JEROME ESCH

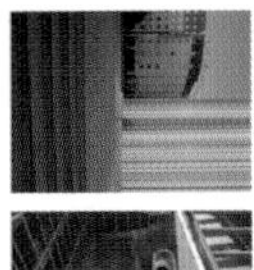

Voor Anselm Kiefer lag in de jaren zeventig, toen hij zijn belangrijkste werken maakte, de kwestie van de oorlog ronduit lastig. Het recente verleden was eigenlijk geen issue voor Duitse kunstenaars, totdat Joseph Beuys op het toneel verscheen. Zijn *erweiterte* opvatting van wat kunst was, en welke rol kunst te vervullen had, maakte de weg vrij. Met de vormen en de middelen van de jaren zestig en zeventig - manifestaties, installaties, performances en *aktionen* - maakte Beuys het verleden in zekere zin artistiek bespreekbaar. Een andere, min of meer rechtstreekse behandeling van de oorlogskwestie zou onmogelijk, en ook zinloos zijn geweest.
Kiefer gebruikte in zijn kunst het landschap als onderzoeksterrein, als podium om het Duitse verleden aan de orde te stellen. In zijn grote, sombere, soms zelfs zwartgeblakerde landschappen zijn soms de namen geschilderd van wouden die ook concentratiekamp waren (*Buchenwald*), soms die van krijgsheren als generaal Von Moltke en soms die van grote denkers als Martin Heidegger. Kiefers landschappen zijn op te vatten als beschouwende panorama's waarin schuld en boete verstrengeld zijn met vragen rond oorzaak en gevolg. Niet voor niets is over zijn werk nogal wat commotie ontstaan: welke sympathieën had die Kiefer eigenlijk? Hoeveel kritische distantie bevatte zijn werk dan wel? In een heldere beschouwing in zijn boek *Landschap en herinnering* stelt kunsthistoricus Simon Schama terecht dat Kiefer 'het oprechte voornemen had het moderne lot van de landschapsmythologie te onderzoeken'.
Het gaat niet aan om een vergelijking tussen Kiefer en Creyghton te maken, daarvoor liggen de werken en de werelden te ver uit elkaar. Toch is er een element dat hen bindt, en wel dat van het woord. De foto's van Creyghton maken deel uit van een reeks die onder de titel *De plaats van het misdrijf* in 2000 werd afgedrukt in het *Volkskrant magazine*. Op dat podium werd door bijschriften en een verhaal van thrillerschrijver Tomas Ross de context geboden waarin deze foto's begrepen moeten worden. Zonder titel of toelichting kunnen ze niet, ze vertolken hetzelfde dilemma als waarvoor Luther zich in de zeventiende eeuw al gesteld zag. Hoe, zo luidde de vraag aan hem, kan men in gevallen van twijfel nu vaststellen of een afbeelding van bijvoorbeeld een vrouw het goede - de Madonna - betreft, of het verleidelijke, het slechte - Venus? Alleen het woord, een titel of bijschrift, stelde Luther vast, geeft hieromtrent uitsluitsel. Het beeld - zo wist ook Kiefer - volstaat lang niet in alle gevallen.

Verloren onschuld

Pieter Siebers

Op de foto's van L.J.A.D. Creyghton is niets te zien dat wijst op zoiets als het verlies van onschuld. Wat immers hebben een lommerrijk bos, de dichtbegroeide omzoming van een villa of het pas gemaaide grasveld van een Friese buitenplaats van doen met schuld, dat begrip dat de mens aankleeft sinds de zondeval? Om deze welhaast perfect onschuldige beelden van Creyghton te kunnen begrijpen, is voorkennis noodzakelijk. Het bos bevindt zich te Renkum, en was in 1987 het decor voor de moord op de zakenman Gerrit Jan Heijn. De villa in Baarn was het eigendom van de familie H. Twee van de zoons brachten in 1960 een vriend om het leven die uit de school dreigde te klappen. En die Friese buitenplaats, daar werden in 1997 de lichamen gevonden van twee gasten van een pensionhoudster die voor het ombrengen tot zes jaar cel met TBS zal worden veroordeeld. En in de nu zo rustige weiden in Frankrijk en Groot-Brittanië, hebben in het verleden verschillende veldslagen plaatsgevonden.
Creyghton is de fotograaf die, in samenwerking met het CWL, het werk van vijf vakgenoten selecteerde wier werk in hun ogen zou passen in de thematische tentoonstelling over schuld en onschuld. Het werk van Creyghton zelf (om daar mee te beginnen) kan niet los gezien worden van de manier waarop het landschap in de moderne beeldende kunst als onderwerp 'herontdekt' is. Ik doel vooral op het werk van de Duitse schilder Anselm Kiefer (1945) en de iets oudere Nederlandse kunstenaar Armando. Van de laatste bestaan meerdere schilderijen en foto's die mede zijn gemaakt naar aanleiding van zijn eigen oorlogservaringen; ze dragen titels als *Schuldig landschap* of *Beschuldigd landschap*. De landschappen worden door Armando opgevoerd als waren ze getuigen van menselijke wreedheid, van oorlogsdrama in het bijzonder. Hoe kunnen zij dan zo onaangedaan zijn? Zo onbeweeglijk, terwijl er zich binnen de horizon, zelfs aan de voeten van de bomen zulke gruweldaden hebben voorgedaan?

Voor Anselm Kiefer lag in de jaren zeventig, toen hij zijn belangrijkste werken maakte, de kwestie van de oorlog ronduit lastig. Het recente verleden was eigenlijk geen issue voor Duitse kunstenaars, totdat Joseph Beuys op het toneel verscheen. Zijn *erweiterte* opvatting van wat kunst was, en welke rol kunst te vervullen had, maakte de weg vrij. Met de vormen en de middelen van de jaren zestig en zeventig - manifestaties, installaties, performances en *aktionen* - maakte Beuys het verleden in zekere zin artistiek bespreekbaar. Een andere, min of meer rechtstreekse behandeling van de oorlogskwestie zou onmogelijk, en ook zinloos zijn geweest.
Kiefer gebruikte in zijn kunst het landschap als onderzoeksterrein, als podium om het Duitse verleden aan de orde te stellen. In zijn grote, sombere, soms zelfs zwartgeblakerde landschappen zijn soms de namen geschilderd van wouden die ook concentratiekamp waren (*Buchenwald*), soms die van krijgsheren als generaal Von Moltke en soms die van grote denkers als Martin Heidegger. Kiefers landschappen zijn op te vatten als beschouwende panorama's waarin schuld en boete verstrengeld zijn met vragen rond oorzaak en gevolg. Niet voor niets is over zijn werk nogal wat commotie ontstaan: welke sympathieën had die Kiefer eigenlijk? Hoeveel kritische distantie bevatte zijn werk dan wel? In een heldere beschouwing in zijn boek *Landschap en herinnering* stelt kunsthistoricus Simon Schama terecht dat Kiefer 'het oprechte voornemen had het moderne lot van de landschapsmythologie te onderzoeken'.
Het gaat niet aan om een vergelijking tussen Kiefer en Creyghton te maken, daarvoor liggen de werken en de werelden te ver uit elkaar. Toch is er een element dat hen bindt, en wel dat van het woord. De foto's van Creyghton maken deel uit van een reeks die onder de titel *De plaats van het misdrijf* in 2000 werd afgedrukt in het *Volkskrant magazine*. Op dat podium werd door bijschriften en een verhaal van thrillerschrijver Tomas Ross de context geboden waarin deze foto's begrepen moeten worden. Zonder titel of toelichting kunnen ze niet, ze vertolken hetzelfde dilemma als waarvoor Luther zich in de zeventiende eeuw al gesteld zag. Hoe, zo luidde de vraag aan hem, kan men in gevallen van twijfel nu vaststellen of een afbeelding van bijvoorbeeld een vrouw het goede - de Madonna - betreft, of het verleidelijke, het slechte - Venus? Alleen het woord, een titel of bijschrift, stelde Luther vast, geeft hieromtrent uitsluitsel. Het beeld - zo wist ook Kiefer - volstaat lang niet in alle gevallen.

'Het verlies van onschuld' is een titel die te denken geeft, ook omdat hij lijkt te suggereren dat het om een actuele kwestie gaat. Alsof de wereld zijn onschuld al niet heeft verloren, op talloze plaatsen en in talloze tijden. Neem het boek Genesis. De aarde en de mens zijn nauwelijks geschapen of (we zijn dan nog maar in hoofdstuk 3) we krijgen te maken met de zondeval, het archetype van schuld en boete. Een paar verzen later worden we getuige van de moord van Kaïn op zijn broer Abel, en het duurt dan nog maar even voordat God verzucht het diep te berouwen de mens ooit geschapen te hebben. De grote zuivering onder aanvoering van Noach in zijn ark biedt ook al geen soulaas, want zijn nakomelingen bouwen binnen de kortste keren de toren van Babel, met de nog steeds voortdurende spraakverwarring als het bekende gevolg.
Voor de kunst is deze aaneenschakeling van zonde, schuld en boete niet alleen in de moderne tijd een zeer bruikbaar onderwerp gebleken. Al in de ruïnes van het oudst bekende christelijke gebouw, de doopkerk van Dura Europos (in het huidige Syrië) uit de derde eeuw na Christus, werd een afbeelding gevonden van de zondeval. Adam en Eva. Met voor hun voeten de kronkelende slang en met hun bedekte schaamstreek zijn ze zich volledige bewust van hun zondigheid. Het is een tekening waarvan je geneigd bent te zeggen dat die primitief is: aan kleur, compositie en techniek lijkt weinig aandacht te zijn besteed. Wie deze afbeelding afzet tegen het technisch kunnen en de verfijning van de 'antieke' Griekse, Hellenistische en Romeinse kunst die Dura Europos eeuwenlang voorafging, weet dat hier de betekenis van veel groter belang werd geacht dat de artistieke prestatie. Dit was kunst voor de ingewijden; voor hen die de nieuwe 'verboden' gemeenschappen vormden. Zij kenden uit vertellingen de bijbelverhalen en wisten zo van het drama van de erfzonde, van de eeuwige schuld die de mensheid op zich geladen had. Hun leven zou niet anders dan ten dienste van de verlossing kunnen staan.
De schilderingen uit deze Mesopotamische ruïnes (inmiddels in bezit van het Yale University Museum) markeren het begin van een kunstgeschiedenis die min of meer tot in negentiende zou duren. Zelfs in de vijftiende eeuw, toen in Florence het zelfbewustzijn van de mens enorm was, en zijn geloof in eigen kunnen welhaast onbegrensd, bleef het besef van schuld een rol spelen. Een van de sleutelstukken van de vroege Renaissance is de *Verdrijving uit het Paradijs*. Het dateert uit 1427 en is een van de laatste schilderingen van de jong gestorven kunstenaar Masaccio. Adam en Eva verlaten wenend het aards

paradijs, Eva bedekt nu ook (anders dan in Dura Europos) haar borsten. Het meest opvallende verschil wordt gevormd door de grote lichamelijkheid en de enorme expressie die Masaccio het paar verleende. De zonde, zo lijkt hier te worden gezegd, is veel dichterbij dan wordt aangenomen. Zij is geen kwestie van lot of erfelijkheid, maar ze is een zaak van onszelf. Dat standpunt is in wezen nog steeds actueel.

Er is een schilderij uit de jaren vijftig van de Fransman Balthus dat de titel draagt *Le jouer du violin*. Er wordt een jong meisje geportretteerd dat ingewijd wordt in de kunst van het vioolspelen. Ze krijgt les van een oudere man, terwijl haar jurk hoog opgetrokken is. Het is een uitstekende moderne variant van de zondeval, van het verlies aan onschuld, maar de vraag die hier tevens rijst is die welke vaker gesteld wordt in de kunst van de moderne tijd: wie is de ware schuldige? In het geval van Balthus: is het niet het meisje dat ingewijd *wordt* in de wereld waarin zij vrouw zal zijn? Is er een dader, en is er een slachtoffer?
Dat vraagstuk is indirect ook aan de orde in de meeste foto's van de exposanten op de tentoonstelling die deze bundel begeleidt. De in Parijs wonende modefotograaf Jerome Esch bijvoorbeeld is een meester in het portretteren van de iconen van de moderne tijd. Kwetsbare, maar mooie modellen die een gezicht geven aan de verfijnde, dure parfums van Kenzo, die de kleding van Vivian Westwood, Issey Miyake of Jean Paul Gaultier bijzonder en begeerlijk maken. Zijn deze vrouwen toonbeelden van zelfstandigheid en zelfbewustzijn of zijn ze louter buitenkant, duurbetaalde topstukken die uitwisselbaar zijn en die aan de kant worden geschoven na een seizoen, of zodra de omzetcijfers ook maar de geringste zorgen baren. Of neem de foto's uit de jaren negentig van de in 1999 veel te vroeg overleden reportagefotografe Rebekka Engelhard. Niet geënsceneerd, zoals bij Esch, maar directe en treffende beelden van vrouwen in gevangenissen; in Tsjechië bijvoorbeeld, de Verenigde Staten, Senegal en ook Nederland. Verleiding is hier geen echte optie meer, en illusies, ach... Een van de beste foto's is die van een tweetal vrouwen in Amerika. Ze nemen deel aan een les, met op de achtergrond een schoolbord waarop de tekst *What is Love? When have you experienced it? How did you handle it?* (niet in de expositie opgenomen. *red.*) De vrouwen van Rebekka Engelhard doen boete, ze zitten hun straf uit, de meesten trachtend iets van hun waardigheid of gratie te be-

houden. Maar, zo is de vraag na het zien van deze wereldwijde aaneenschakeling, waar verwerd de onschuld tot schuld, hoe en waarom kwamen deze vrouwen tot hun misdaad? Velen blijken een problematische jeugd achter de rug te hebben, of zijn seksueel misbruikt.
Een van de meest beklemmende foto's van de in Londen wonende en werkende Rolph Gobits uit zijn serie *Travelling Entertainers* is die waar een man op leeftijd met zijn vingers een eendenhoofdje maakt. Een sterke lichtbron zorgt ervoor dat de schaduw groot op een muur geprojecteerd wordt. Het is een beeld uit ieders jeugd dat in mijn geval een wat andere betekenis kreeg toen ik van een vriendin vernam dat een buurman tijdens dit soort sessies van de gelegenheid gebruik maakte haar stiekem te betasten. Zonder dat ze daar wat van durfde te zeggen, en daarom keer op keer herhaald. Gobits weet artiesten op leeftijd zover te krijgen dat ze hun 'kunstje' voor zijn camera nog eens willen herhalen. Het zijn geen denigrerende foto's, zeker niet. Eerder zijn ze beklemmend: de tand des tijds heeft deze acrobaten en circusartiesten eigenlijk te zeer aangedaan om zich zo nog te vertonen. De huid is rimpelig en schraal, de leden zijn stram, de omgeving waarin ze geportretteerd zijn – hun thuis – soms ronduit naargeestig. Je kijkt eerder met gêne dan met begrip naar dit verlies aan decorum. Is dit ironie, een te ver gevorderde vorm van zelfspot, of zien we hier de slachtoffers van de droom die eeuwige jeugd heet?
Voor de vijfde fotograaf in dit geheel, de Amsterdammer Ruud van Empel, is die vraag niet aan de orde. Zijn wereld is een virtuele waarin hij 'zijn' vrouwen tot op het bot manipuleert: de hoofden, lijven en benen, de korsetten, een nachtjapon en de bleke, meisjesachtige naaktheid. Hij maakt digitale collage's, waarbij hij gebruikmaakt van zowel bestaand als zelf gemaakt/gefotografeerd materiaal. Dit maakt deze vrouwen tot iconen van verleiding, ongenaakbaarheid, ontoegankelijkheid en onschuld. In het laatste geval is het personage naakt, met een pop op de grond. De armen niet, zoals de gevallen Eva, voor schaamstreek of borsten. Die gêne is niet meer van deze tijd, waar het paradijs onbekend en de onschuld verloren is.

III

Beschuldigde vrijheid

Onschuld en ervaring

Wil Arts

Verloren onschuld

In 1789, het jaar van de Franse Revolutie, publiceerde William Blake zijn dichtbundel *Songs of Innocence.*[1] Deze 'liederen der onschuld' zingen niet alleen de lof van eenvoud en argeloosheid, maar leggen ook getuigenis af van diens opstandigheid en radicale politieke opvattingen. De grootse beloften van de Franse Revolutie – vrijheid, gelijkheid en broederschap – heeft hij als het ware in verscheidene van die liederen gegrift.[2] Zo wordt in het gedicht 'The Divine Image' het geloof in en de hoop op een nabij zijnde betere wereld bezongen. Verlichting en revolutie zouden het de mens nu eindelijk mogelijk maken zijn door Koning en Staat gesmede ketenen te slaken om door eigen inspanningen te worden tot wat hij eigenlijk altijd al was, de '*human form divine*', de door God naar diens beeld en aangezicht geschapen mens. De tweede strofe van dit gedicht luidt als volgt:

> For Mercy, Pity, Peace and Love
> Is God, our father dear,
> And Mercy, Pity, Peace and Love
> Is Man, his child and care.

In de laatste strofe van dit gedicht bezingt Blake haast jubelend de nakende eenheid van de menselijke soort en de uiteindelijke overwinning van de kardinale goddelijke en menselijke deugden:

> And all must love the human form,
> In heathen, turk, or jew;
> Where Mercy, Love, & Pity dwell
> There God is dwelling too.

In het laatste decennium van de achttiende eeuw verkeerde Blakes politieke hoop echter allengs in wanhoop. De in Frankrijk in 1789 gegrondveste volkssoevereiniteit ontaardde al snel in de barbarij van het Jacobijnse schrikbewind. Napoleons militaire greep naar de macht maakte in 1799 een einde aan het revolutionaire schouwspel. Het doek viel definitief toen deze zich in 1804 door de Senaat de keizersmantel liet aanmeten. Van absolute monarchie naar keizerlijke tirannie bleek slechts een stap en de revolutie slechts een intermezzo. Iets van de teleurstelling die hem moet hebben overvallen, is al terug te vinden in zijn *Songs of Experience,* die hij in 1794 – op het dieptepunt van de Terreur – samen met de *Songs of Innocence* publiceerde. De eenvoud was gebleven, maar de argeloosheid was onder invloed van de inmiddels opgedane ervaringen grotendeels verdwenen. Het meest in het oog lopende verschil tussen de liederen der onschuld en die van de ervaring is dat in de laatste de dichter met kritische en zelfs ontgoochelde stem spreekt. In de liederen der ervaring worden de verschrikkingen ontsluierd die verborgen bleven voor het oog van de onschuld.[3] Dit wordt bij lezing al heel snel duidelijk, omdat de liederen in de ene bundel nu eenmaal parallel lopen met liederen in de andere. Zo komt in de *Songs of Experience* een gedicht voor met de titel 'A Divine Image' – het verschil in lidwoord met het eerdere gedicht is niet toevallig – waarin veel van de argeloosheid wordt teruggenomen. Een vergelijking van de eerste strofe met de derde strofe van het eerdere gedicht laat dit in een oogopslag zien. Ze luiden als volgt:

For Mercy has a human heart,	Cruelty has a Human Heart,
Pity a human face,	And Jealousy a Human Face;
And Love, the human form divine,	Terror the Human Form divine,
And Peace, the human dress.	And Secrecy the Human Dress

De politieke ondertoon in zijn gedichten ebde sinds die tijd langzaam weg, terwijl het christelijk-religieuze karakter ervan steeds sterker werd. De teloorgang van de Franse Revolutie, welke ertoe had geleid dat zijn radicale politieke hoop de bodem werd ingeslagen, had hem steeds wantrouwender gemaakt jegens allerlei rationele en materiële plannen ter verheffing van de mensheid. Ook zette hij zich steeds sterker af tegen het Verlichtingsdenken, getuige de in 1803 geschreven volgende regels:

Mock on, Mock on Voltaire, Rousseau:
Mock on, Mock on: 'tis all in vain!
You throw the sand against the wind,
And the wind blows it back again.

And every sand becomes a Gem
Reflected in the beams divine;
Blown back they blind the mocking Eye,
But still in Israel's path they shine.

Rond de eeuwwisseling had Blake zijn politieke onschuld kennelijk definitief verloren. Maar zijn opstandigheid bleef. God en Kerk namen van toen af de plaats in van Koning en Staat. Waar hij de naijverige en vreeswekkende God van het Oude Testament zag als de personificatie van het autoritaire gezag, personifieerde de Christus van het Nieuwe Testament voor hem de '*human form divine*'. Blake bleef de kant van de mens kiezen en zich afzetten tegen het autoritaire gezag.

Deugd en terreur

Hoewel de teloorgang van Blakes politieke argeloosheid door Napoleons staatsgreep werd bezegeld, hadden de voorafgaande revolutionaire gebeurtenissen hem al aan het twijfelen gebracht. Was Napoleon uiteindelijk de verpersoonlijking van het kwaad en de revolutie aanvankelijk die van het goede, tijdens de slotfase van de terreur waren kwaad en goed zo met elkaar verstrengeld geraakt, dat ze nauwelijks nog te ontvlechten waren.
Die slotfase ving aan op pinksterzondag 8 juni 1794. De Conventie had kort tevoren verklaard dat 'het Franse volk het bestaan van het Opperwezen en de Onsterfelijkheid van de ziel erkende'. Dat moest worden gevierd door middel van het Feest van het Opperwezen. Het Feest diende het hoogtepunt te worden van de Cultus van de Rede, ingevoerd nadat het christendom was 'afgeschaft'. In de leegstaande kerken werden plechtigheden gehouden ter ere van het Opperwezen en werd de Eredienst van de Rede gevierd. De revolutie was religie geworden en de republiek haar kerk.[4]
Robespierre, bijgenaamd de 'Onkreukbare' en sinds maart van dat jaar de machtigste man van Frankrijk, hield op die memorabele zondag een feestrede, waar-

in hij de plechtige verklaring van de Conventie uitwerkte. Hij sloot zijn rede af met een peroratie: 'Afkeer van kwade trouw en tirannie branden in onze harten tezamen met liefde voor de rechtvaardigheid en het vaderland.' Was deze deugdzaamheid en democratie, gerechtigheid en patriottisme prekende man dezelfde die de belangrijkste figuur was van het schrikbewind, een bewind dat zo velen naar de guillotine had gestuurd? Was hij wel oprecht toen hij als voorganger fungeerde op het Feest van het Opperwezen, meende hij wel wat hij zei? Hoe kon hij tegelijkertijd zowel de terreur handhaven als de apostel zijn van een revolutionaire Cultus van de Rede die rechtvaardigheid hoog in het vaandel voerde?

Het antwoord is niet eenvoudig. Robespierre lijkt op het eerste gezicht óf een bron van tegenspraak óf een mooie woorden sprekende dictator die achterdochtig in zijn vervolgingswaan ieder liet bespieden, er vast van overtuigd dat hij zich slechts door schrik en angst te zaaien, staande zou kunnen houden.[5] Bij nader inzien blijken deugd en terreur echter bijna altijd haast naadloos bij hem samen te gaan, als vormden ze een Siamese tweeling. 'De drijfveer van de volksregering in een toestand van revolutie', zo schreef hij bijvoorbeeld, 'is zowel de Deugd als de Terreur'. En hij had het over 'de rechtschapenheid zonder welke de terreur rampzalig, de terreur zonder welke de rechtschapenheid machteloos is'. In de nieuwe orde was alleen plaats voor toegewijde revolutionairen, het 'zuivere' volk. Daarom moesten de vijanden van de revolutie, zoals de aristocraten, de royalisten, de religieuzen en de zwendelaars naar het schavot. Maar ook degenen die tekortschoten in de revolutionaire moraal, die niet zuiver waren in de leer - ketters en afvalligen - stond onder Robespierre slechts één straf te wachten: de doodstraf, voltrokken met het mes van de guillotine. Toen er na het Feest van het Opperwezen onenigheid binnen het *Comité du Salut Public* ontstond, groeide de angst onder zijn mederevolutionairen dat Robespierre opnieuw een zuivering wilde houden, maar nu een 'zuivering van de zuiveraars'. Eind juli sprak hij in de Conventie over 'de noodzaak de comités te zuiveren ten einde op de ruïnes ervan de heerschappij van de gerechtigheid en de vrijheid te grondvesten'. De afloop is bekend. Op 28 juli werd Robespierre zelf, samen met zijn beulsknecht Saint-Just van wie de opmerking stamt: 'Een natie vernieuwt zich slechts op de stapels van lijken', naar het schavot gevoerd en onthoofd, terwijl het volk riep: 'Weg met de tirannen, leve de republiek.'[6]

Vragen
Hoe kon in het Frankrijk van het einde van de achttiende eeuw – de eeuw van de Verlichting – een intens verlangen naar een 'redelijke' samenleving, georganiseerd rondom het revolutionaire ideaal van morele zuiverheid, kennelijk voldoende rechtvaardiging zijn voor zulke 'barbaarse' wreedheden? Barrington Moore – de nestor van de historische sociologie – stelt, dat dit alleen kon omdat in die samenleving politieke meningsverschillen tot morele tegenstellingen werden verklaard en politieke opponenten als moreel vogelvrijverklaarden, als melaatsen werden afgeschilderd en als ernstige bedreigingen werden ervaren.[7] Om morele bijval te verwerven voor die wreedheden was dit echter nog niet genoeg. Het was ook nodig de 'vervuilende' opponenten als onmensen, als duivelse gedrochten af te schilderen, die buiten de kring stonden van degenen jegens wie men morele verplichtingen had als medeburgers. Zo werden spijt en schuldgevoel geëlimineerd. Een samenleving georganiseerd rond morele zuiverheid kan, zo meenden Robespierre en de zijnen kennelijk, alleen worden verwezenlijkt via morele en intellectuele zuivering en via – dat vooral niet te vergeten – bloedvergieten. Door gebruik te maken van het zuiverende revolutionaire vuur en via het reinigingsritueel van de openbare terechtstellingen moest het mogelijk zijn een samenleving te creëren die werd geregeerd door een zuivere moraal en zou worden gekenmerkt door huiselijk geluk en gematigdheid alom. Het utopische verlangen naar zuiverheid en harmonie liet zich daardoor echter nauwelijks meer onderscheiden van de botte wil tot macht, die met een beroep op dat ideaal werd gerechtvaardigd.
Het verlangen naar revolutionaire zuiverheid in zijn meest obsessieve vorm in combinatie met extreme terreur is een van de meest invloedrijke legaten uit de nalatenschap van de Franse Revolutie geweest – aan het stalinisme, het maoïsme, en zelfs het nazisme – zo stelt Barrington Moore. Hoe valt het steeds weer terugkeren in de nieuwste geschiedenis van deze combinatie van op het eerste gezicht onverenigbare zaken te verklaren? Wat leert ons – bij nader inzien – de sociaal-wetenschappelijke ervaring?

Beschaving en barbarij
Een steeds weer in de literatuur opduikende verklaring voor dit verschijnsel – van Taine tot Ortega y Gasset – is dat de Franse Revolutie geboorte heeft gegeven aan de moderne massamens, die de praktische ontkenning vormt van al-

le beschaving. Beschaving zou berusten op zelfbeheersing en rationele controle; de massa zou daarentegen chaos, instinct en regressie vertegenwoordigen. Het eerste is juist, maar – zo leert de sociaal-wetenschappelijke ervaring – het tweede klopt niet met de feiten.
Het is vooral Norbert Elias geweest die in zijn *Über den Prozess der Zivilisation* (1939) heeft proberen aan te tonen, dat er zich in West-Europa sinds het eind van de Middeleeuwen een seculaire trend heeft voorgedaan naar steeds meer beschaafd gedrag door steeds meer mensen. Elias opperde dat staatsvorming, en dan vooral het monopoliseren van het geweld door de staat, daarvoor verantwoordelijk was. In West-Europa raakte op steeds grotere grondgebieden een monopolie op de geweldsmiddelen gevestigd. Overtredingen van wetten ter bescherming van lijf en leven door de onderdanen van de staat werden steeds vaker bestraft. Het gebruik van geweld door de staat werd door weer andere wetten ingeperkt. Hierdoor werd volgens Elias het leven in Westerse samenlevingen minder gewelddadig. Met het verbod onenigheid met geweld te beslechten, was ook beschaafd gedrag meer en meer geboden geraakt. Staatsvorming pacificeerde niet alleen het samenleven, ze versterkte ook de pacificatie van de psyche, en wel door driften en gevoelens te reguleren via aangeleerde en verinnerlijkte normen.
Maar als de massamens niet de kwade genius is, hoe vallen de verregaande excessen van de jacobijnen, de nazi's, de stalinisten en de maoïsten dan wel te verklaren? Zelfs als er inderdaad zo'n seculaire beschavingstrend in de geschiedenis valt te onderkennen, en dat lijkt het geval te zijn, dan kan toch niet worden ontkend dat we de afgelopen eeuwen meer dan eens een grootscheepse wending hebben meegemaakt van democratie naar tirannie, van civilisatie naar barbarij, te beginnen bij de Franse Revolutie. De Swaan heeft hiervoor binnen het kader van Elias' theorie een verklaring proberen te geven.[8] Allereerst, zegt hij, is het civilisatieproces geen rechtlijnig en op alle plaatsen en tijden even snel verlopend proces. Binnen de seculaire beschavingstrend doen zich niet alleen civiliserings-, maar ook deciviliseringsprocessen voor en kan er zelfs tijdelijk en plaatselijk sprake zijn van een ineenstorting van de beschaving, van barbarij. Decivilisering is daarom op psychologisch en sociaal niveau te omschrijven als 'regressie' naar een voorafgaande, primitievere, minder coherente fase. Daarnaast doet er zich soms echter ook nog een ander proces voor. De staat handhaaft en perfectioneert dan weliswaar zijn geweldsmonopolie en blijft

de geciviliseerde gedrags- en uitingsvormen in de samenleving bevorderen en beschermen, maar bedrijft tegelijkertijd georganiseerd, massaal en extreem geweld tegen bepaalde categorieën van haar eigen burgers. De Swaan spreekt in dat geval niet van decivilisatie, maar van dyscivilisatie. Dyscivilisering kan worden omschreven als 'regressie in dienst van de staat'.
Decivilisatie en dyscivilisatie kunnen samengaan, maar hoeven dat niet. In het nazisme, het stalinisme en het maoïsme bleef de totalitaire staat functioneren op een bureaucratische, geplande, 'moderne' en zelfs 'rationele' manier. De betreffende regimes mobiliseerden echter tegelijkertijd de barbarij ter verwezenlijking van hun eigen doeleinden en kapselden die zorgvuldig in in speciale compartimenten. De woeste destructiedrang, een 'lokale' decivilisatie werd ingezet als een functioneel instrument in de staatscampagne tegen de zelfgekozen vijanden.
In de discussie die over De Swaans verklaring is gevoerd, wordt hem lof toegezwaaid voor het openen van een perspectief van waaruit de tegenstelling tussen de twee gangbare verklaringen van georganiseerde massamoorden in de twintigste eeuw – als terugval in de barbarij, of juist als uiterste consequentie van de modernisering – op een vruchtbare manier kan worden overstegen. Onderbelicht is echter gebleven, volgens verschillende critici, onder welke maatschappelijke omstandigheden zich dergelijke processen van decivilisatie en dyscivilisatie voordoen en hoe het mogelijk is dat mensen op bepaalde locaties en tijden alle denkbare wreedheid en destructie tentoonspreiden, en daarbuiten en daarna beschaafd gedrag hernemen of er niets is gebeurd.[9]

Orde en onzuiverheid

Als we op zoek gaan naar de maatschappelijke oorzaken van decivilisatie en dyscivilisatie, dan biedt Elias' civilisatietheorie maar moeizaam aanknopingspunten. Of het zou de stelling moeten zijn dat de combinatie van het verval van multinationale imperia en het opkomend nationalisme een ontschavende rol hebben gespeeld.[10] Toch meent Labrie dat Elias' theorie een geschikt aanknopingspunt biedt, als tenminste de geschiedenis van het verlangen naar zuiverheid hierin wordt verdisconteerd.[11] Zorg om het zuivere, die ook altijd een preoccupatie met het onzuivere impliceert, wint vooral aan kracht in tijden die kunnen worden aangemerkt als historische crisisperioden. Het verlangen naar zuiverheid, reinheid en onschuld is het product van de menselijke behoefte aan

orde en in zijn meest obsessieve vorm van een verlangen naar een 'onwrikbare' orde. Daarmee is een verschijnsel verbonden dat mixofobie wordt genoemd, dat wil zeggen de angst voor vermenging. Mixofobie vormt de kern van antisemitisme en meer in het algemeen van alle raciale en etnische angsten. Maar mixofobie is niet louter het kenteken van racisten en radicale nationalisten. Het verschijnsel laat zich overal waarnemen waar de hang naar eenheid en uniformiteit, vaak gemaskeerd door fraai klinkende woorden als 'gemeenschap' en 'harmonie' de boventoon voeren. Waar het revolutionaire of religieuze vuur hoog oplaait, presenteert de waarlijk gelovige zijn visie op de ware leer als 'de waarheid'. Gemeten aan die absolute norm is iedere dissident, ieder die anders denkt of bereid is tot het sluiten van compromissen, niets minder dan een vijand van de mensheid, zegt Labrie. Zo iemand is in stalinistische en maoïstische termen een 'klassenvijand', een 'koelak', een 'kapitalist' of een 'lakei van het imperialisme' en in nazistische termen een 'volksvijandig element', een 'parasiet', 'ongedierte'. Het obsessief verlangen naar zuiverheid is daarom strikt genomen totalitair, meent hij.
De logica van de zuiverheididee, stelt Labrie, bepaalt zowel het handelen van degenen die zich erop beroepen, als de dynamiek van millenaristische en utopische bewegingen, van elk streven om het rijk Gods – of een meer wereldse variant daarvan – op aarde te vestigen. Dat verlangen eindigt onveranderlijk in de permanente revolutie, want de werkelijkheid blijft altijd achter bij het ideaal. Het zuivere wordt nooit in zijn zuivere vorm gerealiseerd en vereist daarom telkens nieuwe zuiveringen. Zuiverheidapostelen hebben een onwankelbaar vertrouwen en geloof in het bereiken van zuiverheid. Daarom moeten de telkens terugkerende teleurstellingen wel het gevolg zijn van onwil en tegenwerkingen van de anderen, van onzuivere elementen die moeten worden geëlimineerd. Het streven naar absolute zuiverheid van religieuze en politieke bewegingen eindigt niet zelden in een poging tot de absolute moord. Of in de woorden van Rushdie: 'Zuiverheid is het gevaarlijkste woord op deze planeet. Waar dat opduikt volgt Auschwitz.'[12]

Identificatie en compartementalisering

Het is de ideologie, de zuivere leer die het de leiders mogelijk maakt om met zichzelf in het reine te komen, terwijl ze doen wat ze doen. Maar wat maakt voor 'gewone' mensen de deelname aan dit soort zuiveringen psychisch mogelijk en waarom gaat het sommigen zelfs makkelijk af? Hoe is het mogelijk dat zij in bepaalde omstandigheden hun barbaarse aandriften de vrije teugel laten en de vreselijkste wreedheden begaan? Glover meent dat het antwoord moet worden gezocht in de fundamentele gespletenheid van de menselijke soort.[13] De mens is wreed en gewelddadig, maar keert zich tegelijkertijd walgend van allerlei wreedheden en gewelddadigheden af. Diep in de menselijke psyche bevindt zich een drang tot het vernederen, martelen, verwonden en doden van mensen. Meestal geven mensen echter niet toe aan die aandrang. Waarom niet? Allereerst omdat hun welbegrepen eigenbelang hen ervan weerhoudt. Vervolgens omdat ze kunnen putten uit morele bronnen als respect en sympathie voor en identificatie met anderen. In tijden van diepgaande maatschappelijke crises en vooral in tijden van burgeroorlog zien we dat deze morele remmingen nogal eens selectief wegvallen. De morele hulpbronnen die wreedheid en destructie belemmeren worden dan gedeeltelijk geneutraliseerd of zelfs helemaal uitgeschakeld.

In zulke situaties van grote frustratie en acute onzekerheid proberen politieke entrepreneurs de volkssteun te verwerven door wijd verbreide en diffuse agressie te bundelen tegen bepaalde bevolkingscategorieën. Als hun maatregelen om een sociale compartementalisering op gang te brengen slagen, dat wil zeggen als anders-gezindten en anders-getinten daadwerkelijk sociaal worden uitgesloten, dan hebben die politieke ondernemers niet alleen hun machtsbasis versterkt, maar is er ook een intense identificatie van hun volgelingen met de 'eigen' mensen ontstaan en een hevige emotionele desidentificatie met de uitgeslotenen, met als begeleidend effect: haat.[14]

Sociale compartementalisering leidt voor degenen wier morele hulpbronnen zijn geneutraliseerd tot een compartementalisering van de geest, zegt Glover. Sociale compartementalisering leidt ook, zegt De Swaan, tot een compartementalisering van een terreurregime zelf, als de politieke ondernemers er tenminste in slagen het staatsapparaat over te nemen en het effectief voor hun doeleinden in te zetten. Deze geestelijke, sociale en politieke compartementalisering blijft echter niet beperkt tot leiders en volgelingen. Zelfs veel van degenen die nog wel een neiging bezitten om de uitgeslotenen met een zekere vorm van respect te behandelen en nog een zekere compassie met hun ellende voelen, bezwijken onder de druk van boven en van hun omgeving. Velen gehoorzamen uit angst en veel anderen uit conformisme.

Menselijk tekort en erfzonde

Barrington Moore is van mening dat zowel de theorie als de praktijk van morele zuiverheid duizenden jaren lang beperkt bleven tot de drie grote monotheïstische godsdiensten: het jodendom, het christendom en de islam. Met de Franse Revolutie nam aan het eind van de achttiende eeuw het streven naar morele zuiverheid echter een nieuwe vorm aan, die van een seculiere religie. Zuiverheid, zegt Labrie, werd in de negentiende eeuw zelfs van een christelijke tot een burgerlijke deugd. In de twintigste eeuw manifesteerde de totalitaire wil tot zuiverheid zich vooral in de atheïstische, ideologische vorm van het nazisme, het stalinisme en het maoïsme. Maar ook de Rode Khmer die, geleid door het vulgair-rousseauïstische waanbeeld van de zuivere oorsprong, in Cambodja het volk uit de steden verdreef, is er een manifestatie van. Net als de etnische zuiveringen in Ruanda en Bosnië en het militante islamisme. Als de religieuze, sociale en politieke ontsporingen van het verlangen naar zuiverheid ten minste ten dele geworteld zijn in de fundamentele gespletenheid van de mens waarover Glover spreekt, dan ligt het meer voor de hand te veronderstellen dat die ontsporingen van alle plaatsen en alle tijden zijn, dan te denken dat ze beperkt blijven tot de abrahamische godsdiensten en hun wereldlijke erfgenamen.[15] Die fundamentele gespletenheid wordt in de wereldlijke literatuur wel aangeduid als het menselijke tekort en in religieuze teksten als de erfzonde.

Herwonnen onschuld?

Zo zijn we weer aangeland bij waar we begonnen: Blakes '*human form divine*'.[16] Volgens de christelijke leer is de mens weliswaar geschapen naar Gods beeld en gelijkenis, maar is deze ook bezoedeld door de erfzonde, is het kwaad daardoor tot diens diepste innerlijk doorgedrongen. Maar in het hart, in de ziel is nog een goddelijke vonk aanwezig, die tot een zuiverend vuur kan aanwakkeren. De zuivering van de ziel staat daarom voorop en deze beoogt een terugkeer naar de oorspronkelijke onschuld.

In zijn latere profetische geschriften werkte Blake deze gedachte uit door gebruik te maken van ideeën uit de gnostische en manicheïsche traditie, zonder zich echter tot deze tradities te bekennen. Ook de gnostici en de manicheeërs huldigden de leer van de zuivere ziel, maar creëerden tegelijkertijd een absoluut dualisme van geest en materie. In de mens zijn geest en materie, licht en

duisternis vermengd. Het licht in de mens, de ziel, is in een kerker van materie opgesloten en daardoor heerst in hem een voortdurende strijd tussen geest en materie, tussen licht en duisternis, tussen goed en kwaad. Het doel is de ziel te verlossen uit de materiële wereld en haar doen opstijgen naar spirituele sferen, waaruit zij door de zondeval is neergestort.
Blake ging er vanuit dat het de goddelijke vonk in iedere mens is – dat wil zeggen zowel de levende Christus, als visie en verbeeldingskracht – die het aardse leven menselijker kan maken en een halt kan toeroepen aan het kwaad.[17] Juist door grotere spiritualiteit zou de oorspronkelijke onschuld kunnen worden herwonnen. Deze gedachten uit hij onder andere in een uit 1803 daterend wat langer gedicht 'Auguries of Innocence', waarin hij op een ironische wijze een hele reeks van vermeende voortekenen van een herwonnen onschuld ten tonele voert. In de laatste strofen maakt ironie echter plaats voor ernst:

Every Night & every Morn
Some to Misery are Born.
Every Morn & every Night
Some are Born to sweet delight.
Some are Born to sweet delight,
Some are Born to Endless Night.
We are to Believe a Lie
When we see not Thro' the Eye
Which was Born in a Night to perish in a Night
When the soul Slept in Beams of Light.
God Appears & God is Light
To those poor Souls who dwell in Night.
But does a Human Form Display
To those who Dwell in Realms of day.

Waar Blake, wat het ondermaanse betreft, al zijn hoop stelde op de '*human form divine*', en voor het hiernamaals op de '*divine bossom*', waarin wij na de dood allen zullen terugkeren, daar heeft Glover de uit de Verlichting stammende hoop nog niet helemaal verloren op een wereld die op een rationele wijze vrediger en humaner kan worden gemaakt dan de onze, de hoop dat we door het verwerven van een beter inzicht in onszelf iets kunnen doen om een wereld te creëren met minder pijn en ellende. Het voeren van een verstandige, verlichte politiek is daarvoor echter niet genoeg. We moeten ook ons uiterste best doen, zegt hij, om een helder beeld te krijgen van sommige van de monsters die zich in onszelf ophouden en we moeten middelen zien te bedenken en te ontwikkelen om die monsters te kooien en te temmen. 'Never Such Innocence Again', zo luidt de titel van het eerste hoofdstuk van het boek waarin hij terugblikt op de verschrikkingen van de twintigste eeuw. Het argeloze geloof, voortspruitend uit de Verlichting, dat het verspreiden van een humane en wetenschappelijke levens- en wereldbeschouwing zou leiden tot het wegsterven van oorlog, wreedheid en barbarisme is naïef gebleken. Een realistischer perspectief op mens en maatschappij zou ervoor in de plaats moeten komen. Iets van de oorspronkelijke onschuld kan dan misschien worden herwonnen, tenminste als we lering trekken uit de ervaring.

Noten

1. De standaardeditie van Blakes literaire werk is de door David V. Erdman geredigeerde 'Newly Revised Edition' van *The Complete Poetry and Prose of William Blake*, Berkeley: University of California Press. Toegankelijke bloemlezingen uit zijn werk bieden de door Alfred Kazin respectievelijk J. Bronowski ingeleide en geredigeerde bundels *The portable Blake* en *William Blake. A selection of poems and letters* die vele malen zijn herdrukt en in de Penguin Books-serie zijn opgenomen.
2. Veel duidelijker nog wordt die hoop verbeeld in zijn uit 1791 stammende gedicht 'The French Revolution'.
3. Zie hiervoor Edward Larrissy, *William Blake*, Oxford: Basil Blackwell, 1985.
4. Uitgebreider in J.M.M. de Valk, 'De Franse Revolutie en het secularisatieproces', in: S.W. Couwenberg (red.), *Opstand der burgers. De Franse Revolutie na 200 jaar*, Kampen: Kok Agora, 1988, pg. 205-216.
5. Zie Friedrich Sieburg, *Robespierre, terreur en ondergang*, Utrecht/Antwerpen: Prisma-Boeken, 1961 en Norman Hampson, *The Life and Opinions of Maximilien Robespierre*, London: Duckworth, 1974.
6. In 1795 verwijst Blake hoogstwaarschijnlijk naar deze episode in zijn *The Book of Ahania*, waar Urizen dan de representatie is van het *ancien régime* en Orc de geest van de revolutie vertegenwoordigt. Nog later (1803), in *The Grey Monk* schrijft hij: 'The iron hand crushed the Tyrants head/And became a Tyrant in his stead.'
7. Barrington Moore, Jr., *Moral Purity and Persecution in History*, Princeton: Princeton University Press, 2000.
8. Abram de Swaan, 'Dyscivilisatie, massale uitroeiing, en de staat', *Amsterdams Sociologisch Tijdschrift*, jrg. 26, nr. 3, 1999, pg. 289-301.
9. *Amsterdams Sociologisch Tijdschrift*, jrg. 27, no. 3, 2000, pg. 345-382.
10. Ton Zwaan, *Civilisering en decivilisering. Studies over staatsvorming en geweld, nationalisme en vervolging*, Amsterdam: Boom, 2001.
11. Arnold Labrie, *Zuiverheid en decadentie. Over de grenzen van de burgerlijke cultuur in West-Europa 1870-1914*, Amsterdam: Bert Bakker, 2001.
12. Geciteerd door Labrie, op.cit.
13. Jonathan Glover, *Humanity. A Moral History of the Twentieth Century*, London: Jonathan Cape, 1999.

14. Bram de Swaan, Nawoord, *Amsterdams Sociologisch Tijdschrift,* 27, nr. 3, pg. 380-383.
15. Zie bijvoorbeeld Mary Douglas, *Purity and Danger. An Analysis of the Concepts of Pollution and Taboo,* London: Ark Paperbacks, 1989 en Bernard-Henry Lévy, *La pureté dangereuse,* Paris: Bernard Grasset.
16. Op die gespletenheid wijst Blake zelf al in de volledige titel van zijn bundel uit 1794: *Songs of Innocence and of Experience shewing the Two Contrary States of the Human Soul.*
17. Stuart Curran, 'Blake and the Gnostic Hyle: A Double Negative', in: Nelson Hilton (ed.), *Essential Articles for the Study of William Blake, 1970-1984,* Hamden (Conn.): Archon books, pg. 15-32.

De onttovering van de onschuld
Het kosten-batenplaatje van de moderniteit

Donald Loose

> *Les vrais paradis sont*
> *les paradis qu'on a perdus.*
> Marcel Proust, *Le Temps retrouvé*

Welcome to the desert of the real

Een van de vele onmiddellijke commentaren op de waanzinnige aanslag van 11 september 2001 op de WTC-torens in New York kwam van de in Ljubljana en Princeton docerende Sloveense filosoof Slavoj Zizek: 'Welcome to the desert of the real'. Met die one-liner van Amerikaanse makelij, ontleend aan de cultfilm *The Matrix* van de gebroeders Wachowski, werd duidelijk dat de ware werkelijkheid uiteindelijk ook in 'God's own country' door de televisieschermen was gebroken. In *The Matrix* gaat het om een geheel door het medium beheerste wereld, waarvan men zich de fictie niet meer realiseert. De Amerikaanse isolationistische buitenlandse politiek, die tot dan toe werd gedragen door een geloof in eigen onkwetsbaarheid en de oprechte overtuiging van schuldeloosheid omtrent wat er in de wereld misgaat, bleek een politiek die het zicht op de ware werkelijkheid verloren was. 'How could it happen?', was de steeds weerkerende vraag. Er waren fouten gemaakt. Dat de FBI dit niet heeft zien aankomen, dat vliegvelden zo onveilig bleken, dat de torens meteen waren ingestort door de zo snel loslatende ophangconstructie van de etages, die met een domino-effect op elkaar naar beneden waren gestort, en dat we ons dat tot op die dag allemaal niet realiseerden; dat was de grote deuk in het zelfvertrouwen dat zich niets had te verwijten. De onschuld was nu ook in de nieuwe wereld voorgoed verloren. Wat Europa in schade en schande door twee wereldoorlogen had geleerd, waar de Balkan nog eens zo pijnlijk in de onmiddellijke achtertuin aan had herinnerd, wat Afrika niet meer hoeft te worden bijgebracht en waar het Midden-Oosten middenin zit, dat was nu een wereldgegeven. Er zijn geen paradijzen meer. Het leek alsof Amerika er nu met Hollywood-allures aan werd herinnerd dat er ook geen veilige en comfortabele *adventure-seats* meer zijn bij de onophoudelijk door CNN gerapporteerde wereldbrand. De verloren politieke onschuld is met de globalisering van de politiek mondiaal gegaan. Voortaan zijn onze zegeningen en onze rampspoed overal tegelijk in het geding. In feite hebben we daarmee slechts de logica van de verbanning uit de paradijselijke tuin voltooid. Vluchten voor schuld kon al niet meer sedert de eerste stap naar de beschaving, vanaf het plukken van de eerste verboden vrucht van de vrijheid.

Een profane *felix culpa*

Het oerscenario van de onttovering van onze onschuld wordt in de joods-christelijke religie geschetst. Van dat verhaal moeten we de ambiguïteit niet willen ontkennen. Er zou ooit een tuin van overvloed zijn geweest, een paradijs. In dat paradijs stonden twee bomen: een van eeuwig leven en een van kennis van goed en kwaad. Van alle bomen mocht de oermens eten, alleen niet van de boom van kennis van goed en kwaad. Wat we ons van dat verhaal herinneren is dat de mens opstandig was tegen zijn schepper, het verbod negeerde en van de boom at. Als straf werd hij uit de tuin verbannen, waardoor hij voortaan nog slechts 'in het zweet zijns aanschijns' kon overleven. De Duitse socioloog Max Weber is ervan overtuigd dat die oermythe van de westerse cultuur echter ook de ondernemingszin mede heeft mogelijk gemaakt en aangewakkerd. In zijn studie over de verwantschap tussen de geest van het kapitalisme en de protestantse ethiek[1] wijst hij erop dat de passie waarmee men de mogelijke verdoemenis wil omzetten in een redelijke kans bij de geredden te horen, uiterst gevoelig is voor de uiterlijke tekenen van die eventuele redding. Want wie het goed gaat in zijn ondernemingen, en wie het alsmaar beter gaat, op hem moet toch wel Gods zegen rusten, mag je denken. Als eenmaal de wereld is onttoverd, gaan we alles calculeren.

In een rede die hij voor een studentenvereniging in München houdt, omschrijft hij de onttovering (*Entzauberung*) van de wereld als het besef dat er in principe geen mysterieuze en onvoorspelbare krachten zijn en dat men in principe alles door berekening kan beheersen.[2] Als eenmaal voor alles wat ons overkomt een binnen deze wereld te ontdekken reden en een interne logica is te achterhalen is, als eenmaal gratie en genade geen werkbare categorieën meer zijn om de loop der dingen te bepalen, dan heeft alles zijn prijs en doet niemand nog wat voor niets. Je kunt er dan vanuit gaan dat God dat ook niet doet. Dan zoeken wij ook zelf, bij gebrek aan genade, het heil in eigen werk, in onderzoek en onderneming. Dat wordt een ijzeren onontkoombare wet. Bij gebrek aan gratie of genade, charisma, gave of genialiteit redden we ons alleen nog door oefening, inzet, en overuren. Eenmaal verbannen uit de tuin is het hard werken en zelf verdienen waar je recht op hebt. De straf van een onttoverde, genadeloze wereld is ook de genadeloze wereld zonder charme, die we als opstandige kinderen zelf hebben ingericht, en die we niet eens meer willen ruilen voor het verloren paradijs. Rousseau schrapte daarom het hele erfzondeverhaal en ging ervan uit dat de mensen de geschiedenis van het verval in elke tijd op hun eigen geweten hebben.

We houden aan de onttovering een smartelijke herinnering over aan een verloren paradijs, terwijl we haar toch als de weldaad van onze vrijheid zien, die we voor geen geld ter wereld meer willen opgeven. Het is in culturele zin eigenlijk ook een gelukkige val, een *felix culpa* die een eigensoortige redding en herstel mogelijk heeft gemaakt. We houden aan het verloren paradijs ook wel de wat meewarige, eventueel zelfs melancholische wijsheid over dat, zoals Proust in *À la recherche du temps perdu* al zei, er alleen maar verloren paradijzen zijn; maar we beseffen terdege dat juist dit de mogelijkheid biedt en de drijfveer uitmaakt om ze altijd weer terug te willen winnen. Als we de oermythe van de verloren onschuld overigens zakelijk lezen, dan blijkt toch ook dat de schepper het er zelf behoorlijk naar heeft gemaakt – met het daar neerzetten van de slang – dat de mens zou willen weten, plukt en het onderscheid zelf wilde beproeven tussen goed en kwaad. Met het eten van die boom komt als het ware de tweede 'big bang' tot stand: niet die van de materie, maar die van de cultuur. Nu moet de mens wel zelf de aarde bebouwen, alle dieren onderwerpen voor zijn lijfsbehoud, zich voortplanten, zich kleden en voeden. Had hij niet gegeten, dan zat hij – vrij vertaald naar Kant, de grote Duitse filosoof van de Verlichting – nu nog onder die andere boom van eeuwig onveranderd leven, even beaat als de schapen om hem heen die hem tot niets zouden dienen.[3] Voor Kant is de zondeval niet louter zondeval: het is ook de verheffing van de mens tot eigen vrijheid, tot verantwoordelijkheid voor de hem geschonken wereld. Wetenschap en ondernemen is geen zondeval, net zomin als de techniek dat is. Ze zijn de uitvoering van de verleiding die in de wereld en haar rijkdom zelf is meegegeven als Gods gave.

Ook de politiek voert ons niet terug naar het aards paradijs

De ontdekking van onze vrijheid is tegelijk de ontdekking van onze verantwoordelijkheid en het verlies van onschuld. Met de verplichting tot het cultiveren van de aarde zijn we verplicht tot de beschaving van recht en techniek. Wetenschap, ethiek en politiek zijn alles wat we in eerste instantie hebben om de verloren onschuld tot beschaving te verheffen. Maar omdat die uiteindelijk berusten op de inzet van mensen, en we allemaal – politici en wetenschappers incluis – uit hetzelfde kromme hout gesneden zijn als de gevallen mens, zullen we het paradijs niet herwinnen. Er is daarom ook geen definitieve wereldorde te verwachten. Een *conditio sine qua non* voor een enigszins houdbare wereldorde is veeleer rekening te houden met het wezen van de mens en de politieke werkelijkheid. Dat is onophefbaar verdeeldheid. Dat is de les van Machiavelli (en wellicht van de filosofie van de oudheid) die in cyclische bewegingen dacht, en niet in termen van eindeloze progressie of de utopische herwinning van het paradijs. Wie heeft ons wijsgemaakt dat het er in de toekomst per se beter aan toe zou gaan dan eertijds? Het morele vooruitgangsgeloof van de Verlichting lijkt mij hooguit een onontkoombare ethische eis en opgave te zijn, die wij onszelf altijd moeten opleggen (te streven naar het betere), willen we er niet op achteruit gaan. Verloedering en verval zijn de wet van de natuur. De dingen op hun beloop laten is ze laten verrotten.
De ideologie omtrent *enduring freedom,* het einde van de geschiedenis en het teruggewonnen liberale *global paradise* is een illusie. Het is een ideologie als een andere, die haar vijanden bestrijdt en dus haar onmisbare vijand zelf creëert. Ook het globalisme is een vorm van post-politieke illusie, waarin politiek het object is van verlichte technocraten, opiniepeilers, economen en volstrekt tolerante, want onverschillige multiculturalistische consumenten. Er is dan altijd een compromis te bedenken dat gepresenteerd wordt als de huidige universele consensus, ook al beantwoordt de werkelijkheid daar nooit aan en komt ze daarom als iets wat verdrongen is gewelddadig terug. De meest cynische conclusie hieromtrent luidt dat multiculturalisme, een volstrekt open society en *enduring freedom* daarom zelf terrorisme en fundamentalisme uitlokken; meer nog, dat ze die nodig hebben om zelf nog ergens over te gaan. Discussieloos

multiculturalisme en normenloze globalisering zijn elkaar versterkende inhoudsloze ideologieën: er is niets wat er werkelijk toe doet. Die cultuur van de loutere verschillen leidt tot volslagen onverschilligheid. Waarden zijn waspoedermerken. Liberalisme en globalisme genereren zo hun eigen vijand en tegenbeeld. De open society, de volstrekte gelijkwaardigheid van eender welke cultuuruiting creëert vanzelf het tegendeel dat daarin uitgesloten wordt: degene die zich in de voorlopige consensus niet herkent, er geen baat bij heeft, of zich er door bedreigd voelt. Het niet gerepresenteerde tegendeel is de groep met de naakte afkeer voor het post-politieke universum, omdat het niemand buitensluit en iedereen tolereert, terwijl men er zich zelf juist niet in herkent.[4] Dostojewski heeft de illusie van de rationeel geordende en geheel transparante samenleving al genadeloos ontmaskerd. Het voor iedereen voorcalculeren van het schaamteloze utilitarisme is namelijk onleefbaar. Dit volstrekt transparante kristallen paleis, waarin elk motief en elke daad berekenbaar en voorspelbaar zijn, moet ontzettend saai worden. De mens kan niet leven zonder de erkenning van zijn vrijheid. Zijn verzet krijgt desnoods gestalte in de louter contesterende (en zelfs misdadige) willekeur, die zowel het wetenschappelijk determinisme als het maatschappelijk utilitarisme uitdaagt. De vrijheid wordt niet gered door bezit of gelijkschakeling:

> Temidden van de algehele verstandelijkheid staat zomaar iemand op die zijn handen in zijn zij zet en ons allen toevoegt: zullen we maar niet al die verstandelijkheid met één schop in puin trappen, alleen maar om al die logaritmen naar de duvel te sturen, zodat we weer kunnen leven naar onze eigen domme wil. Dat zou het ergste nog niet zijn, maar grievend is dat hij beslist medestanders zal vinden. Waar hebben al die wijze lieden vandaan gehaald dat de mens behoefte heeft aan een normaal deugdzaam wensleven? Waarom hebben ze zich zo beslist in hun hoofd gezet dat de menselijke wil per se gericht moet zijn op verstandelijk beredeneerd voordeel?[5]

Wellicht zijn de religieuze fundamentalist en de westerse hooligan slechts twee figuranten die ons eraan herinneren dat het heringerichte paradijs een illusie is.

Een dilemma van winst en verlies

Wat gaat er dan mis? Waarom voert de herinrichting van de aarde ons toch nooit binnen in een paradijs van de eigen verantwoordelijkheid en een schuldeloos heroverde vrijheid? Ik heb al verwezen naar de Duitse socioloog Max Weber, die voor de studentenvereniging van München onmiddellijk na de Eerste Wereldoorlog twee opmerkelijke lezingen hield. De een ging over het beroep van wetenschapper, de ander over dat van politicus.[6] Een van de fascinerende spanningen in die redes is Webers pleidooi voor wat een contradictie lijkt, en het misschien ook wel is. De wetenschapper moet namelijk een passie, een gedrevenheid voor zakelijkheid hebben. Objectiviteit is hem iets heiligs, maar wat heilig is probeert hij tegelijk buiten de haakjes van zijn zakelijke bezigheid te zetten. Ook de politicus moet, naast zakelijkheid en efficiëntie, de waarden waar hij voor staat - Weber zegt hier 'de goden waar hij voor kiest' - weten uit te dragen. Ook al heeft hij daar op een bepaald moment geen sluitende argumenten meer voor, hij moet zijn gelijk bewijzen. Weber alludeert kennelijk op wat Plato al in de *Politeia*[7] schreef: eenieder moet zijn god of demon uiteindelijk zelf kiezen, zonder dat hij op dat moment weet waar hij tegelijk ook voor kiest, als de consequenties van zijn keuze. Hij wordt op zijn keuzes achteraf wel afgerekend. Dit dilemma is niet te ontlopen. En dus ook niet wat ermee gepaard gaat, namelijk het besef dat we gevangen zitten in een zekere logica, die ons als een *double bind* in de tang houdt. We weten dat wetenschap en rationaliteit ons niet de redenen voor onze laatste opties kunnen verlenen en we weten ook dat we geen irrationele funderende waarden meer kunnen accepteren. We moeten ons voor alles verantwoorden - we hebben immers nooit een alibi - en we weten dat we dat niet kunnen.
Voor die logica heeft Weber een aantal beeldende termen: met onze consequent aangehouden doelrationaliteit, dat wil zeggen met het respecteren van de onwrikbare berekening van de effecten en de gevolgen van elke investering, creëren we voor onszelf een stalen kooi, een vesting waar de onoverzichtelijke dimensies van het gewone bestaan methodologisch worden gekapitaliseerd of anders buitengesloten. De winst is enorm. Dat de hele wereld dit model moet en zal overnemen is het duidelijkste bewijs dat er geen waardevol alternatief voor is: de techniek, de sturing, de berekening maakt de wereld, de markt, de politieke amorfe massa beheersbaar. De magie en pseudo-duistere machten achter de schermen zijn opgeheven. De wereld is onttoverd. Dat betekent enerzijds

een rationeel-technisch wetenschappelijk beheersbare wereld, maar anderzijds ook een verzakelijkte, bureaucratische, nauwelijks nog fascinerende, eentonige en niet eens te verantwoorden eendimensionale leefwereld, waarin er alleen nog plaats is voor 'vakmensen zonder ziel en genotzoekers zonder hart'. En dat moet een kroniek van een aangekondigde frustratie zijn, want een mens vindt alleen datgene waardevol wat hem een *Leidenschaft*, een passie is: iets waar hij zich met hart en ziel voor inzet. Politiek, wetenschap, de zakelijkheid (de *Zweckrationalität*) zijn juist domeinen waar ik dat gepassioneerd zijn met een apart soort passie tussen haakjes zet. Ik weet tegelijk ook dat ik uiteindelijk veelal geen laatste redenen heb voor de consequente rationaliteit die ik blijf volhouden.
De slang had grotendeels gelijk: wij worden steeds meer de godgelijke scheppers van ons eigen bestaan. Ze had niet helemaal gelijk dat we dan alle tover zouden kunnen missen. Ze had geen gelijk dat het weten en de tover, de oertuin van het paradijs en de door ons bewerkte aarde, per se elkanders concurrenten moeten zijn, of dat de wereld van de schepping en de wereld van de wetenschap en de politiek elkaar per se moeten uitsluiten. We hopen allemaal dat dit niet per se de ijzeren logica van onze eigen doelrationaliteit moet zijn. We willen immers niets meer op gedachteloze wijze doen en tegelijk toch nog het vermogen redden om te kunnen zwichten voor de charmes van het onweerstaanbare. Van de schoonheid en de troost[8] willen we niet af. We willen zakelijkheid en onttovering koppelen aan verwondering, fascinatie, verbijstering en ontsteltenis over de onbegrensdheid in ruimte en tijd van dit bestel. We willen oordeelkundig, met kennis van zaken en goed geïnformeerd, het juiste kiezen en tegelijk het onachterhaalbare mysterie van onze vrije wil en het eigengereide, unieke, altijd weer persoonlijk gekleurde karakter van onze eigen persoonlijkheid redden. Ook al weten we dat elk brein toch alleen maar uit die zelfde en voor allen gelijke neuronen en eiwitten bestaat. Wittgenstein, half ingenieur en halve monnik-filosoof, noemde dat het mystieke.[9] Voor deze stringente wetenschapper meldde het zich echter ook alleen maar aan bij de grens van het wetenschappelijk kenbare, en dus door gebruik te maken van het wetenschappelijk kenbare, als het mysterie van de kenbaarheid of als de onontwijkbare vraag van het waartoe ervan. Tover bij gratie van de rationaliteit.
Je kunt het je dus afvragen of deze wereld wel geheel onttoverd is. Met Weber kun je hier 'ja' en 'nee' op antwoorden. Deze tijd is een schrale en kleurloze

tijd. De wurggreep van bureaucratie, concurrentie en schaamteloosheid leunt op ieder moment dichter bij de barbarij aan dan bij cultuur; en tegelijk is er geen fascinerender en meer onontkoombare werkelijkheid dan de eigen tijd, die tijd waarin mensen, ondanks de kosten-batenanalyse van wat we de afgelopen eeuw hebben aangericht en uitgevreten, met *Leidenschaft*, passie en enthousiasme, de consequentie trekken dat paradijzen nu eenmaal altijd verloren zijn, maar ons niet minder fascineren. Om het met de slotwoorden van Voltaires *Candide* te zeggen: we hebben geen keus : *il faut cultiver son jardin.*

De grenzen van het moralisme

Ethics pay. Eerlijkheid rendeert. Zonder geloofwaardigheid en betrouwbaarheid redt niemand het op de lange duur op de markt of in de wetenschap. Gebakken lucht bederft klaarblijkelijk ook. We mogen de voorraden niet opgebruiken of vergiftigen (ook niet die van het menselijk genoom). Het is allemaal wel waar, en als ethische code is het wel degelijk onmisbaar. We hebben verantwoordelijkheid voor een leefbare aarde en een menswaardige samenleving, ook voor de toekomst. Maar wil onze cultuur echt een drijfveer, een enthousiasme en een zingevingdimensie hebben, dan is er een laatste stellingname nodig ten aanzien van de wereld, de mens en het eigen bestaan, die van een andere orde is. Weber had het over de niet beslisbare strijd van de ultieme funderende waarden die iemands leven zinvol maken. Hij noemde het de strijd der goden en bedoelde daarmee vooral de irrationele, zich aan de greep van de doelrationaliteit onttrekkende, laatste opties. Als we alles willen motiveren en beargumenteren, komt er immers altijd een punt waarop we niet meer kunnen beargumenteren waarom iets voor ons een doorslaggevend argument is. En wanneer we alles in doelrationaliteit hebben vertaald, komt er een moment waarop we ons de vraag gaan stellen naar het doel en de zin van al dat goedbedoelde gedoe. Het leven heeft zijn eigen existentiële Gödeliaanse onvolledigheidproblematiek. Een belegger moet kunnen verliezen om 'fortuin' te kunnen maken. Misschien geldt dat ook voor het bestaan.
Van deze *Kampf der Götter*, van deze oorlog van Mars en Afrodite, Venus, Hermes en Apollo, wisten de Grieken al. Zij waren ervan overtuigd dat een mensenleven hooguit erin slaagt zich aan de ergste drama's te onttrekken, dat een leven al gelukt mag heten, wanneer men niet aan de blinde passie voor een van

hen ten onder gaat, maar ze allen een beetje te vriend kan houden. De Grieken waren zo calculerend dat ze voor alle zekerheid ook investeerden in degene die ze mogelijk hadden vergeten en in Athene daarom een altaar bouwden voor de hen onbekende god.

Misschien is dat zo gek nog niet. Weber had het in *Wissenschaft als Beruf* over wat volgens hem restanten van tover waren, die in de toekomst zouden overleven als plaatsvervangende zingeving van de oude religies. Hij had het met name over de kunst en de erotiek. De stalen kooi heeft ze sedertdien allang binnengehaald. Kunst is belegging en erotiek is getimede techniek en zakelijkheid. Maar niets verbiedt ons ondanks, en wellicht juist omwille van ons onophefbare onbehagen in de cultuur, uit te zien naar zo een altijd nog onbekende God. Wachter, zo vragen wij met Weber en de profeet Jesaja, hoe lang is de nacht? De wachter antwoordt: er komt een morgen, maar nog is het nacht. Als u vragen wilt, kom een andere keer terug. En Weber trekt er die conclusie uit; dat het met smachten en verwachten niet alleen niet lukt maar dat we ook aan de eisen van deze dag gerechtig moeten leren zijn: zowel beroepshalve als menswaardig.[10] Of met andere woorden: de levenskunst bestaat erin niet te verzaken aan de tover die elk van ons heilig is, in een onttoverde wereld.

Of dat lukt? De Grieken speelden op zeker en zeiden: noem niemand gelukkig voor zijn dood. Wittgenstein zei hierover: ik kan het niet helpen alles te blijven zien vanuit een religieus standpunt. Aan wie hem vroeg wat hij daarmee bedoelde, antwoordde hij: ‘Zoals ik het zeg, zo bedoel ik het. Ik kan het niet helpen mezelf te zien vanuit het perspectief van een laatste oordeel.’ Dit soort respect voor een ultieme objectiviteit, een zakelijkheid in de brede zin van het woord, een eerlijkheid ten aanzien van wat het geval is, ook als we zelf in het geding zijn, heeft iets heiligs. Dit soort heiligheid lijkt me niet vreemd aan de ware wetenschapper en de politicus met allure. Juist wie zijn verantwoordelijkheid ernstig neemt en niet vlucht in morele schuldeloosheid heeft oog voor de grenzen van zijn eigen vermogen en dus voor de grenzen van zijn verantwoordelijkheid. De onttovering van de morele onschuld creëert de ruimte voor de noodzakelijke erkenning van een verschuldigd zijn in ontologische zin. Wellicht kan een god ons dan nog redden? Misschien is dat het heilige dat in de moderniteit nog een kans maakt. *Il faut cultiver son jardin.* Maar of het groeit en bloeit, zijn wij dat zelf? Is er zoiets als het fortuin van het bestaan, dat ons zomaar wordt geschonken?

Anders verschuldigd

Verloren onschuld radicaliseert juist het besef van een niet af te kopen ontologisch verschuldigd zijn, dat ons tegelijk van onze gewetensnood bevrijdt. Karl Jaspers[11] heeft de Duitse natie na de oorlog niet alleen leren omgaan met het onderscheid tussen strafrechtelijke, politieke en morele schuld, maar hij heeft er ook op gewezen dat er altijd ook nog zoiets is als een metafysische schuld, een ontologisch verschuldigd zijn van de mens ten aanzien van de dingen en de wereld. Een leefbare verantwoordelijkheid kan niet zonder de erkenning van dat verschuldigd zijn, een besef dat we niet alles beheersen. Je zou dus kunnen spreken van een 'tover van de schuld'. Dat was ooit het mythische en primitieve mens- en wereldbeeld. In feite is het Griekse veelgodendom in de orde van de voorstelling daar een mooi voorbeeld van. De fascinatie die er in postmoderne tijden van uitgaat op het niveau van de esthetische en narratieve verfijning is goed te begrijpen. Alleen is dit slechts van de orde van de fantasie en het esthetische genoegen. Niemand wil immers het geweld en de onvoorspelbaarheid, de wraak en de terreur van de Griekse godenwereld als reële leefwereld, als politieke en ethische cultuur terug. De Grieken loofden overigens zelf de uiteindelijke ontbinding van al het geweld dat in hun tragedies ter sprake kwam, door gebruik te maken van het recht als een cultuurstap die niet meer ongedaan kon worden gemaakt.
De boodschap van het christelijk heil, waarin de val uiteindelijk ook *als felix culpa* de reddende heiliging mogelijk maakt, beperkt zich niet tot een verlossing uit de oerzonde en tot een juridisch gedacht eerherstel.[12] De volheid van het nieuwe leven overtreft het herstel van het geschonden bestaan. We weten dat we zelf ook verantwoordelijk zijn en blijven voor het meeste kwaad. De bevrijding uit het kwaad kan voor de mens niet als een geheel uiterlijke macht uit de hemel komen vallen noch kan ze als een techniek en een louter uiterlijk ritueel vanzelf efficiënt zijn. God bevrijdt die mens, die zich zelf bevrijden wil. We kunnen dus al evenmin naar een bekoorlijke illusie terugkeren waarin we de tover van de eigen onschuld zouden willen redden zonder de magie van de schuld erbij te moeten nemen, als dat we alle schuld zouden willen ontlopen zonder tegelijk de eigen onschuld te verliezen. We kunnen ook niet meer dromen van de illusie van de nieuwe betovering van een onschuldig paradijs. Hegel en Kant hebben eraan herinnerd dat het christendom, met zijn overtuiging dat de mens vrij is en dus verantwoordelijk voor de grondoptie van zijn

bestaan, de moderniteit met haar onttoveringen heeft voorbereid.[13] De moderniteit is dan echter de samenhang van het moderne en het premoderne of het niet specifiek moderne.[14] De moderniteit voorstellen als een volstrekt autonome onderneming, die zich geheel zelfstandig en neutraal profileert en zich los van alle voorgegeven tradities of onontkoombare dimensies van ons bestaan uit het niets ontwerpt, is altijd al een karikaturale voorstelling geweest van wat de grote denkers van de Verlichting beoogden. Toch is die karikatuur min of meer de ideologie van de moderne tijd geworden in de triomf van de wetenschap, politiek totalitarisme (fascisme en communisme) en een alles regulerende markt. De bevangenheid waarin die onttoverde moderniteit dan terechtkomt, vloeit voort uit de ervaring dat integrale zelf-realisatie tot zelf-destructie leidt, tot het mislopen van het ware zelf en van de ware gemeenschap, en niet kan tegemoetkomen aan de behoefte aan zingevende kaders, die we juist niet zelf mogen hebben verzonnen opdat ze zouden functioneren. Onze intieme relaties, het gevoel van samenhorigheid en de religie zijn uiteindelijk niet gediend van louter eigen maakwerk. Geluk is iets wat lukt, omdat we weten dat het kan mislukken.

De modern ingestelde mens loopt echter het risico ook die mogelijke bronnen van een toeleverende reserve aan betekenis en zin weer reflexief te gaan beheren als geluksmachines, waardoor hij ze finaal verziekt.[15] Hij ontloopt zijn bevangenheid dan door een postmoderne vlucht naar voren in een veelheid van alternatieven. Men is bereid wat dan ook te aanvaarden en wat dan ook uit te proberen van de resten van de voorgegeven waarden van weleer. Er is uiteindelijk geen alternatief meer voor die drang naar alternatieven, die het enige zijn wat ons nog rest om de lacune van het echte vreemde en het onvoorspelbaar andere, wat we klaarblijkelijk niet langer willen, te compenseren. De moderniteit, dat is de democratie en de vrije markt, de rekenende universiteit, waar voor de geweigerde dogmatische waarheid en de vaste waarde geen ander alternatief te verzinnen valt dan zelf-realisatie door permanente zelf-destructie, her-verankering door permanente ont-worteling, re-organisatie door ont-binding, grensverleggende vernieuwing door afbraak. Die moderniteit is, zoals de realiteit zelf, alles tegelijk: archaïsch, oud en nieuw en postmodern.

Wellicht is ze echter niet alleen die diachrone dialectiek van verleden en heden, maar ook een onontkoombare ervaring van de ons in alle tijden tijdloos begeleidende alteriteit: mensen blijven mensen zolang ze geboren *worden*, verliefd *worden,* kinderen *krijgen* en over-*lijden.* Het ware alternatief bestaat in de niet te ontlopen alteriteit. Dat wat zich voordoet en me overkomt is er altijd al en is er nog steeds. Alleen het volstrekt andere kan ons overkomen.[16] J. F. Lyotard, die de term 'postmodern' in de wijsbegeerte introduceerde, gaf er ook de meest adequate definitie van. Postmoderniteit is geen aflossing en ook geen herhaling van, of herinnering aan de moderniteit, maar een doorwerking ervan. De postmoderniteit is het besef van de onophefbare terugkeer van iets wat aan de autonomie en het voorstellende denken weerstand biedt, zodat het denken altijd wordt gedwongen terug te keren naar dit onbedachte. De postmoderniteit is in die zin de herinnering aan een vergeten waarheid van de moderniteit. Ze is het affront van al ons maakwerk en de nachtmerrie van bureaucraten en regenten.[17] De illusie van een volstrekt door onszelf ingerichte schuldeloosheid ten aanzien van het bestaan wordt altijd weer ontkracht.

Welkom in de oase van de beschaving

Wij postmodernen, wij zijn gelukkig de tover van een onafwendbare schuld verloren, maar we betalen evengoed de prijs van een verloren onschuld. We strijden terecht tegen de oorzaken van het kwaad, want wij zijn het zelf. De fascinatie voor wat ons zomaar overkomt is niet alleen de pijnlijke confrontatie met ons onvermogen; ze is ook de herinnering en het niet wijkende besef van de grens van ons eigen vermogen. De postmoderniteit is daarom ook een heilzame herinnering aan de ware moderniteit. Die wist dat we in het beste geval elkaar welkom mogen heten in een oase van een door onszelf goed beheerde, maar nooit geheel beheerste werkelijkheid. De ware moderniteit overleeft daarom alleen nog als het affront aan haar huidige parodie of als de mislukking van haar actuele bureaucratische karikatuur. Net als de democratie en de universiteit.

Noten

1. M. Weber, 'Die protestantische Ethik und der Geist des Kapitalismus', in: *Gesammelte Aufsätze zur Religionssoziologie*, I, Tübingen: Mohr, 1988.
2. *Wissenschaft als Beruf*, (1918), Berlin: Duncker & Humblot, 1992, pg.17.
3. I. Kant, *Muthmaßlicher Anfang der Menschengeschichte* (1786), Akademie Ausgabe, VIII, p. 109 en volgende. (Vertaald en ingeleid door Delfgaauw, 'Vermoedelijk begin van de menselijke geschiedenis', in: Kant, *Kleine Werken. Geschriften uit de periode 1784-1795*, Kampen: Agora, 2000, pg. 133-160.
4. Sisek, *Pleidooi voor intolerantie*, Amsterdam, Boom, 1998.
5. F. Dostojewski, 'Aantekeningen uit het ondergrondse', in: *Verzamelde Werken*, deel VI, Amsterdam: Van Oorschot, 1957, pg. 137 e.v.
6. M. Weber, *Politik als Beruf* (vertaald: *Politiek als beroep*, Baarn: Agora, 1999) en *Wissenschaft als Beruf*, Berlin: Duncker & Humblot, 1992.
7. 'Niet een daimon zal u als lot toegewezen krijgen; neen, gij zelf zult uw daimon kiezen... Als er schuld is bij de keuze, dan ligt ze bij hem die de keuze deed. De godheid treft geen schuld.' Plato, 'De staat', X, 617 e, in: *Verzameld Werk, III*, Baarn: Ambo, 1980, pg. 481.
8. Getuige de succesvolle programmareeks van de VPRO en de bijhorende publicatie van W. Kayzer, *Het boek van de schoonheid en de troost*, Amsterdam: Contact, 2000.
9. *Tractatus logico-philosophicus*, Londen: Routledge en Kegan, 1922.
10. *Wissenschaft als Beruf*, pg. 37.
11. K. Jaspers, *Die Schuldfrage*, München: Piper, 1965.
12. A. Vergote, *Dette et Désir*, Paris: Seuil, 1978, p. 64. Zie ook Sisek, *Die gnadenlose Liebe*, Frankfurt, Suhrkamp, 2001.
13. Hegel, *Grundlinien der Philosophie des Rechts*, §124. Immanuel Kant, *Religion innerhalb der Grenzen der Bloßen Vernunft*.
14. J.F. Lyotard, 'De moderniteit herschrijven', in: *Het onmenselijke, Causerieën over de tijd*, Kampen: Kok Agora, 1988, p. 38-52; D. Loose, *Vergeten Ithaka. De odyssee van de moderne tijd*, Vught: Radboudstichting, 1995; D. Loose, 'Moderne transcendentie. Slimme omweg of ongewilde wederkeer?', in: D. Loose en S. Waanders, *Nihilisme en transcendentie*, Budel: Damon, 2001, pg. 46-69.
15. H. de Dijn. *Geluksmachines in context*, Antwerpen: Pelckmans, 2001.
16. J. Derrida, *L'Université sans condition*, Paris: Galilée, 2001, pg. 72 e.v.
17. J.L. Nancy, *La communauté affrontée*, Paris: Galilée, 2001.

IV

Verwerking en verlossing

Het verlies van onschuld

Rein Nauta

Traditioneel werd onschuld geassocieerd met jonge meisjes die in opwaaiende zomerjurkjes spelen in het gras. De fotografie van David Hamilton heeft echter aan deze onschuld een einde gemaakt. Gedreven door een beter weten kan onschuld alleen maar als voorgewend worden gezien, bestaat ze enkel als een tactisch instrument in het spel tussen man en vrouw. In het oog van de schuldige beschouwer is juist de voorgewende onschuld de grootste verleiding en tegelijk ook de rechtvaardiging van die visie. Toekijkend is die onschuld niet pril en naïef, maar uitdagend en manipulatief. Waar onschuld reflexief als strijdmiddel wordt gebruikt is ze al verloren. Als er over verlies van onschuld wordt gesproken wordt niet in de eerste plaats een juridisch of economisch begrip van schuld gehanteerd, maar is vooral een sociaal-emotionele categorie in het geding gebracht. Onschuld die verloren is opent de weg naar de dubbelzinnigheid. Het is deze dubbelzinnigheid die zo verleidelijk is, omdat ze spel, illusie introduceert, een doen alsof, dat de werkelijkheid relativeert en transcendeert. Het paradoxale van deze ontwikkeling is dat het verlies van onschuld als een sociaal, interactief fenomeen wordt voorgesteld, waarbij de schuld voor het verlies gelegd wordt bij degene die zulk verlies incasseert terwijl ze in feite veroorzaakt wordt door achterdocht en cynisme bij degene die toeziet en beschouwt.

Verlies van onschuld

Een besef van schuld ontstaat in die fase van de kinderlijke ontwikkeling waarin een zekere autonomie gepaard gaat met initiatief, met een plan, een bedoeling, een gerichtheid. Niet langer meer is zelfstandigheid een teken van verzet, een noodzakelijk zich los maken uit de symbiotische verhouding met de moeder, maar geeft ze aan het handelen een nieuwe kwaliteit: bezig zijn gaat iets betekenen, het krijgt een doel en plan. Het is de fase waarin van alles wordt onderzocht. Het initiatief in deze fase is vaak indringend, het kind wordt gedreven door nieuwsgierigheid – anderen worden aangeraakt en toegeroepen, dingen worden onderzocht en uit elkaar gehaald. Maar omdat het kind in deze exploratielust nog geen grenzen kent, worden deze soms overschreden. Het zijn overtredingen die ook worden uitgelokt door concurrentie met broertjes en zusjes en gestimuleerd door ongeremde belangstelling in alles. Ter bescherming van het eigen welzijn en dat van anderen worden daarom aan het kinderlijk gedrag grenzen gesteld. 'Pas op, kijk uit, niet aankomen, liggen laten.' Ofschoon nog niet verstaan, is de bedoeling van zulke uitlatingen duidelijk: zij markeren de grens van het toelaatbare. In de confrontatie met de grens ontwikkelt zich het eerste gevoel van schuld: iets verkeerd te hebben gedaan. Schuld is er wanneer uit verschillende alternatieven het verkeerde wordt gekozen. Schuld is vooral ook de resonantie van het oordeel van anderen. Zij stellen de grens: tot hier toe en niet verder. Schuld is zo de weerspannige reactie op een autoritair verbod. Ze ontstaat door het bruuskeren van regels, voorschriften, aanwijzingen die door anderen zijn gegeven met het oog op het gemene goede leven. Het gevoel iets verkeerds te hebben gedaan, kan echter ook voorafgaan aan de overtreding. Dan kan men zijn onschuld verliezen zonder schuldig te zijn. In de gereformeerde opvoeding, en niet alleen daar, was elke vorm van seksuele verwijzing omgeven met een mysterieuze dreiging die dat wat verboden leek met een verborgen verlangen omgaf. De Amsterdamse domineesvrouw Anthonia Margaretha Lindeboom-de Jong vermaande moeders dat ze hun opgroeiende dochters niet zo wulps moesten kleden: 'Meisjes boven de tien kun je niet in rokjes laten lopen die de knieën bloot laten en die bij iedere stap bijna tot aan het middel opwippen' (cf. Amelink, 2001, pg. 99). Het is een passage die in haar effect gelijk is aan de pornografische blik in Hamiltons foto's van jonge meisjes.

Schuld of schaamte

Toch meen ik dat zulk verlies van onschuld nog maar zelden voorkomt en als er al schuld wordt bekend, zulke schuldbekentenis toch het eigenlijke onbehagen miskent. In de *VPRO Gids* (2001, 49) in de rubriek 'Achterwerk' schrijft een meisje van twaalf dat ze boos en verdrietig is omdat ze niet kan stoppen met zichzelf te vrijen. Ze vindt het vies en niet goed en toch doet ze het steeds weer. Ze voelt zich schuldig over die slechte gewoonte. Andere respondenten beamen haar hartenkreet. Gedeelde smart is halve smart. Maar zij geven ook adviezen en peilen preciezer wat er aan schort. Zij zeggen dat het juist leuk is en nuttig. 'Als je er plezier aan beleeft, moet je jezelf dat niet ontnemen. Veel sterkte en je hoeft je er echt niet voor te schamen' (Daniel, 15). 'Ik beloof je dat als je iets ouder bent, het steeds normaler wordt' (Nicoline, 17). 'Ik heb tegenwoordig een hele lieve vriendin waarmee ik ook seks heb, maar soms bevredig ik mezelf ook nog. Ik weet ook dat mijn vriendin dat doet. Bijna iedereen die ik ken bevredigt zichzelf, en nogmaals, je hoeft je er echt niet voor te schamen' (Boudewijn, 15). Het verlies van onschuld is vooral een overweldigd worden door schaamte: niet zozeer het verkeerde te doen, als wel iemand te zijn die men niet wil zijn of in ieder geval nog niet wilde zijn. Het is deze transformatie van schaamte in schuld en van schuld in schaamte die in dit opstel zal worden gethematiseerd. Een meisje dat nog kind wil zijn, blijkt in feite het kinderlijke al te hebben verloren. Ze ervaart in zichzelf een gespletenheid, een gebrek aan heelheid en samenhang die haar met schaamte vervult. Schaamte heeft immers te maken met een verkeerd zijn, terwijl schuld vooral betrekking heeft op het verkeerde doen. Waar aan het verkeerde handelen nog paal en perk kunnen worden gesteld, is het verkeerde zijn niet zo gemakkelijk te repareren. Liever daarom maar schuld bekend met het perspectief van beter te kunnen worden.

Verloren schuld

Schuld komt echter nog maar zelden voor en is ook getrivialiseerd. In het moderne leven zijn er nog maar weinig regels en verboden. Alles kan en alles mag. Zowel in het politieke bestaan van de natie als ook in het persoonlijk leven van individuele burgers zijn excuses, verontschuldigingen zo virulent dat deze overmaat aan schuldbekentenissen eerder lijkt te wijzen op een gebrek aan schuldbesef dan aan een doorbrekend inzicht in wat verkeerd is (Nauta, 2001). Ofschoon de moderne samenleving wel voorgesteld wordt als een maatschappij waarin de keuze domineert (*Wahlgesellschaft*), valt het op dat er eigenlijk maar weinig keuzen worden gemaakt. Ofschoon een individualistische samenleving bij uitstek ook een prestatiemaatschappij is, een meritocratie waarin men slechts op eigen verdiensten wordt beoordeeld, zijn velen terughoudend om die capaciteiten te exploiteren en het risico van falen onder ogen te zien. Meer nog dan in een door collectivistische structuren en gedeelde normen en waarden bepaalde samenleving is men bereid zich aan te passen aan wat hoort om zo conflicten te mijden. De aarzeling uit te komen voor de eigen mening, voor het gaan van een eigen weg, en zodoende het risico te lopen van het kiezen van het verkeerde alternatief blijkt bijvoorbeeld uit zo'n triviaal aspect van de moderne jeugdcultuur als de gedeelde interesse in Australië en Zuid-Amerika als oorden waar men zichzelf kan vinden. Even kenmerkend voor deze jeugdcultuur is het ontbreken van breuken. Jongeren blijven thuis totdat zij gaan samenwonen met een ander. Thuis wonen is geen probleem, want alles mag. Aan het doen en laten van kinderen die volwassen zijn, worden geen grenzen gesteld. Het tijdstip van thuiskomen, het klaarmaken en gebruiken van de maaltijden, het meenemen van vriendjes of vriendinnetjes, verzorging en bewassing – ze leiden niet langer meer tot onverkwikkelijke controverses. Mama zorgt, papa zal het een zorg zijn. Breuken ontbreken ook in de carrière. Werken doet men al heel lang: vakken vullen, vakantiewerk, schoonmaken, telefoonwerk. Onderwijs en werk maken al van jongs af aan in wisselende parten deel uit van gewone leven, waarbij het werk zorgt voor een adequate cv en het onderwijs voor een geschikt diploma. Waar het onderwijs ook zelf steeds meer een ondernemingsproject lijkt te worden, waarin zelfstudie en teamwork centraal staan, vervaagt het verschil met echt werken steeds meer. Waar veel werk dienstverlenend is, vervaagt ook het onderscheid tussen ambachten en branches; management en advieswerk kijken meer naar processen dan naar producten. En al worden er wel overstappen gemaakt, zelden zijn ze radicaal. Ook in het persoonlijk leven zijn er geen breuken. Zoals gezegd: thuis wonen is geen probleem. Zodra dat aantrekkelijker lijkt gaat men samenwonen. En als dat bevalt dan koopt men samen een huis. En als de tijd enigszins begint te dringen wordt er nagedacht over misschien een kind. In plaats van de intrede op de arbeidsmarkt en het huwelijk, zijn het passeren van de koopakte en het samenlevingscontract gekomen. De grootste zorg die men heeft is het vinden van een plaats in de crèche. Geboorte en dood zijn gepland, trouwen kan iedereen met iedereen. Zo geleefd zijn er geen grenzen meer. Het is een bestaan dat op het maatschappelijk domein zijn pendant heeft in de multiculturele samenleving waarin onverschilligheid en angst voor discriminatie, of liever: angst om gezien te worden als iemand die discrimineert, het oordeel over goed en kwaad hebben opgeheven. Zo'n samenleving reproduceert het paradijselijk bestaan waarin zonde niet meer mag bestaan omdat zonde veroordeling impliceert. En welke gronden heeft men om te oordelen of te onderscheiden? Prostitutie wordt

in zo'n samenleving gereduceerd tot een eenvoudige economische transactie van vraag en aanbod. Het drugsprobleem is een kwestie van marktwerking en hebzucht wordt gereguleerd als zorg voor de oude dag. In zo'n cultuur kan men de onschuld niet meer verliezen omdat het lijkt alsof er geen schuld meer bestaat. In de *International Herald Tribune* van 20 december 2001 hekelt Michael Kelly ('For Yale, Every Day is Nonjudgment Day') de bijdrage van een studente van Yale in *Newsweek*, waarin ze zich afvraagt wie nu eigenlijk wie kwaad heeft gedaan de elfde september. Het beantwoorden van die vraag eist een moreel oordeel en het vellen van een oordeel over anderen is voor de huidige generatie van goed opgeleide elites het grote taboe. Absolute oordelen worden gemeden. 'To me, hijacking planes and killing thousands of civilian falls into this category of things wrong. Others may disagree.'
Veel meer dan het verlies van onschuld lijkt kenmerkend voor de moderne tijd te zijn het verlies van schuld. Jonge en oudere mensen durven niet te kiezen, mijden conflict, kennen geen grenzen, durven geen oordeel uit te spreken. Deze neiging tot conformisme wordt meer bepaald door het verlangen gezichtsverlies te mijden dan door de angst voor het overtreden van regels en voorschriften voor een gelukkig leven. Ook hier is de beduchtheid voor het eigene eerder ingegeven door het verlangen schaamte te vermijden dan door een gevoel van schuld bij mogelijke overtreding.

Individualiteit en identiteit

Het kenmerk van de moderne maatschappij is het individualistische karakter van betrekkingen en posities. Meer dan ooit tevoren zijn mensen in staat te worden wat zij wensen, niet gehinderd door opvattingen over wat hoort of kan. Wie zij willen zijn bepalen zij zelf en is niet meer afhankelijk van de sociale structuren. Individualisering is het proces waarin het leven van mensen steeds minder ingebed is in lokale gemeenschappen en zich steeds meer gaat afspelen in meerdere, bovenlokale sociale netwerken en waarin hun activiteiten niet meer geïntegreerd en gelegitimeerd worden door een allesomvattende, coherente traditie (Musschenga, 1999, pg. 8). Een dergelijk maatschappelijk proces heeft ook gevolgen voor de wijze waarop de mensen tegen zichzelf aankijken, de individuering van de persoon. Niet langer antwoorden zij op de vraag 'Wie ben je?', met een verwijzing naar de sociale positie die men bekleedt of de groep waartoe men behoort. Het is niet alleen ongebruikelijk, maar ook ongepast geworden om aan het nieuwe vriendje van je dochter te informeren wat zijn vader doet of zelfs te vragen in welke buurt hij woont of van welke kerk hij lid is. In de moderne tijd verwijst het individu wanneer hij zichzelf definieert niet meer naar sociale categorieën, maar naar karakteristieken van de persoon als een op zichzelf staand wezen. Het doel van de individuering is uniek en speciaal te zijn, het wordt gevat in waarden als zelfbepaling, individuele verantwoordelijkheid, zelfontplooiing, authenticiteit, privacy. Het eigenaardige is nu dat deze moderne, geïndividueerde mensen zich desondanks in hun handelen bij voorkeur laten leiden door sociaal gedefinieerde opvattingen omtrent succes. Allen hebben behoefte aan erkenning, zelfs voor de hoogst individuele weg die men gaat. Wanneer eigenheid en levensweg niet meer cultureel zijn voorgegeven, worden mensen gedwongen zichzelf te vinden. Waar echter die weg zich onderscheidt van die welke in hun sociale omgeving wordt gevolgd, zullen de meesten moeite hebben die sociale erkenning te verkrijgen. Zonder erkenning voor hun uniciteit, zullen zij zich dan liever oriënteren aan ideaalbeelden, die hen leiden naar een 'gekopieerd bestaan'. Iedere zelfdefinitie, ieder ontwerp van persoonlijke identiteit is contingent. Er is altijd een mogelijkheid een andere weg te kiezen. Om de druk en de onzekerheid die dergelijke keuzes meebrengen te ontlopen, gaat men liever gebaande wegen en zegt te willen zijn zoals bepaalde anderen, en dan kiest men voorbeelden ter navolging. In dat geval geeft men toe dat het individualiteitsproject is mislukt en dat het eigen levensprincipe juist het tegendeel fundeert: te streven naar maatschappelijk succes, te zoeken naar sociale erkenning door het bestaan van succesvolle voorbeelden te kopiëren. De existentiële onzekerheid een individu te moeten worden, wordt dan ingeruild voor de onzekerheid over eigen prestatie, of je het wel goed doet. Het verlangen anders te zijn dan anderen wordt dan bevredigd door het hebben van meer succes, meer succes in het kopiëren van succesvollere voorbeelden dan de meeste anderen, door beter te zijn in beroepen en bezigheden die beter zijn. Zo hebben zij dan de spanning opgelost tussen de behoefte aan sociale erkenning en de behoefte zich te positioneren als een uniek individu (Musschenga, 1999, pg. 9).

De verdrijving uit het paradijs

Navolging, imitatie, conformisme in plaats van conflict, overtreding, confrontatie bepalen zo het alledaagse bestaan. Een bestaan waarin onschuld niet ver-

loren is gegaan maar juist krampachtig vastgehouden. Samen scheppen ze een cultuur waar schuld alleen nog maar als verontschuldiging wordt gekend. 'Kon ik er iets aan doen? Het is mijn schuld niet.' Zulke excuses zijn vooral te verstaan als halfslachtige pogingen de last van de gemeenschap te ontvluchten in een terugkeer naar een eenvoudiger bestaan, naar het goede leven. Excuses zijn misschien wel uitingen van het verlangen naar het verloren paradijs. Excuses zijn speelse projecten van het evenementiële. Zij hebben geen duur en geen geschiedenis, zij bestaan bij het moment. Het zijn pogingen zich aan de dynamiek van schuld en boete te onttrekken door een beroep te doen op onmacht en onnozelheid.
De neiging zich onmondig te verklaren in plaats van schuld te erkennen en om vergeving te vragen is een excuus dat van alle tijden lijkt te zijn. Op allerlei wijzen proberen mensen een uitvlucht te bedenken als zij ter verantwoording worden geroepen. Geconfronteerd met het kwade wenst men terug te keren naar de geborgenheid van de kindertijd, toen alles nog goed was. Uit angst voor de vrijheid wil men zich verbergen voor de verleiding van het boze. Misschien is dit verlangen en het eraan gekoppelde excuus wel het meest dramatisch beschreven in het verhaal over Eva in het Paradijs.

Vragen verleiden

Adam sprak met de dieren, maar de dieren spreken met Eva, althans één van hen, de slang. De slang stelt een vraag over wat het betekent te leven in een Paradijs. De slang vraagt aan Eva, de mens die solidair is, tot hulp bereid: 'God heeft zeker gezegd, dat je van geen enkele boom mag eten?' Die eerste vraag in het leven van de mens is geen onschuldige, ze verstoort de paradijselijke droom (Drewermann, 1988). In de vraag wordt de aandacht gericht op een verbod dat tot dan toe van geen betekenis was geweest, maar waarvan de vraag van de slang doet vermoeden, dat er iets mis mee is. De vraag van de slang doet het Paradijs verschijnen als beheerst door wat verboden is. Zo'n vraag lijkt zo onschuldig. Er wordt niets beloofd, niets in twijfel getrokken. Er wordt alleen geïnformeerd naar wat God verboden heeft. De vraag wordt echter zo gesteld alsof dat wat de vraag veronderstelt, eigenlijk vanzelfsprekend is (heeft zeker gezegd), niet anders dan beaamd kan worden. Bovendien wordt het geïmpliceerde verbod tegelijk verabsoluteerd (geen enkele boom) en getrivialiseerd (eten van de vruchten). Wat een Paradijs leek te zijn, een lusthof, wordt door de vraag vervormd tot een martelkamp. Op zo'n vraag is geen goed antwoord mogelijk. De vraag en dus ook het antwoord zijn gevangen in het stramien van de paradox. De vraag is immers ook een aansporing tot eten, dat wat zonder bijzondere valentie als iets vanzelfsprekends verscheen (eten van de vruchten), wordt plotseling aantrekkelijk gemaakt door het te verbinden met een verbod. Vragend, in schijnbare onschuld, wordt zo de ambivalentie gewekt. Naïeve oordelen zijn niet meer mogelijk. Onschuld is verloren. Twijfel prevaleert. De mens – Adam – die in een besef van onvolkomenheid aangewezen was op de hulp van anderen, verwordt tot een wezen dat bepaald wordt door behoefte en begeerte. Als verdediging tegen deze angstwekkende transformatie van onschuld in boosheid, als defensie tegen de verleiding van de slang, wordt dat wat het leven centreerde, omgeven met een taboe, heilig verklaard, onaantastbaar gemaakt. Eva's antwoord herhaalt wat God heeft gezegd maar voegt er ook iets aan toe. Zij zegt: '...maar van de vrucht van de boom, die in het midden van de hof staat, heeft God gezegd: Gij zult daarvan niet eten noch die aanraken ....' Geleid door een leugen, is de Schepper alleen nog maar als een bedrieger te zien, wordt het leven bedrog. Wat een paradijselijk bestaan leek te zijn, waar het de mens aan niets ontbrak, regeert zo in feite de kwade trouw, de eis van triviale gehoorzaamheid: niet aanraken! In Eva's antwoord is de zin van het verbod al niet meer herkenbaar. De vraag van de slang heeft haar ogen geopend en verblind.

Eenvoud verlangen

In de voorstelling van de slang, een voorstelling geformuleerd als een vraag, lijkt het alsof het leven bestaat uit willekeur, vol dubbele bodems (Nauta, 1999, pg. 224). In de vraag van de slang wordt het vertrouwen in wat is, ondermijnd. Vragend blijkt het mogelijk dat die Schepper van het leven niet anders is dan een jaloerse tiran, die tot eigen grootheid baat heeft bij de kleinheid van de mens. Waar eens eenheid en vertrouwen heersten, waar solidariteit het samenzijn fundeerde, is al vragend onderscheid en tweedracht binnen geslopen. De afloop van het verhaal is bekend: Adam en Eva eten van de verboden vruchten.

Maar het eigenaardige van dat gedrag is dat zij niet eten omdat zij geloof hechten aan het verhaal van de slang, zij eten omdat zij terug willen keren naar die situatie van onschuld en vertrouwen, die nu juist in de vraag wordt ontkend.

In de vraag van de slang worden goed en kwaad niet meer gescheiden, maar lopen er verwarrend door elkaar. In de war gebracht door de vraag van de slang, die een wereld die goed leek te zijn doet verschijnen als kwaad, zoeken Adam en Eva naar een oplossing, die helderheid brengt. De oplossing die gekozen wordt, is die welke in de reactie op Eva's antwoord door de slang wordt gesuggereerd: te eten van de boom van kennis van goed en kwaad. Het lijkt alsof alleen het eten van die boom uitkomst kan bieden. Zo is weer die paradijselijke toestand van eenvoud en gelukzaligheid te herstellen. Een toestand waarin goed ook echt en helemaal goed is. Geconfronteerd met de onzekerheid van het leven, met de dubbelzinnigheid van het bestaan, willen Adam en Eva worden als God. Zij kunnen niet zo goed tegen wat zo heel menselijk is en waar de verleidingspoging zo perfect op aansluit: het bewustzijn van halfheid en ambivalentie. Zij prefereren een duidelijk onderscheid tussen goed en kwaad, tussen vreugde en verdriet, geluk en ongeluk, heil en onheil, zij geven de voorkeur aan een eenvoudig leven.

Dubbelzinnigheid als bestemming

Verleid tot het eten van de vruchten van die ene boom, waarvan het verbod nu juist het eenvoudige bestaan garandeerde dat zij door het eten menen te herstellen - '...om daardoor verstandig te worden' ontdekken ze echter naakt te zijn. Naakt verbergen Adam en Eva zich voor elkaar, zijn ze alleen. Geschapen voor elkaar, zijn ze elkaar kwijt geraakt in de poging zichzelf te vinden. Waar de mensen in liefde op elkaar waren betrokken, tot hulp elkaar gegeven, blijkt de behoefte aan verstand alleen maar daartoe te leiden, dat elkaars zwakten worden doorzien. Die blik van de ander die alles ziet is pijnlijk en moet worden afgeweerd, daarvoor wil men zich verbergen. Zij bedekken de eigen naaktheid omdat zij zich schamen. Waar ooit vertrouwen was, heerst nu achterdocht, zij het dat die angst wordt toegeschreven aan een dreiging van buiten: 'Toen ik uw geluid in de hof hoorde werd ik bevreesd, want ik ben naakt....' Vooruitlopend op de beschuldiging, betrapt in eigen onwaarde, begint Adam een tegenoffensief op twee fronten: '...de vrouw die gij aan mijn zijde hebt gesteld, die heeft mij van de boom gegeven....' Ontdaan van elke eigenwaarde probeert Adam onverantwoordelijkheid te bepleiten en degene die hem ter verantwoording roept te beschuldigen; dan is ook de solidariteit verbroken met degene die hem heel maakte toen hij besefte onvolmaakt te zijn nadat hij met

de dieren had gesproken, met de vrouw die hem tot hulp was gegeven (Den Dulk, 1993). Het antwoord van Adam is misschien te verstaan als een vergeefs heimwee naar het Paradijs dat geen Paradijs meer is, als een tragisch verlangen kind te blijven, onwetend, veilig, maar ook alleen.
De verleiding door de slang introduceert het bewustzijn van de dubbelheid van het bestaan, de idee dat alles wat goed is tegelijk ook kwaad kan zijn, dat de simpele onderscheiding van die zaken niet mogelijk is. Zo verstaan is ook de verleiding door de slang met dezelfde ambivalentie omgeven die het hele leven kenmerkt. Waar het Paradijs staat voor een wereld waarin men kind is, een wereld die in alles voorziet waar men behoefte aan heeft, een wereld waarin men zich groot en machtig kan voelen, markeert verleiding het begin van de weg naar de vrijheid. Het gaan van die weg begint wanneer men duidelijk antwoord wil geven op een vraag die twijfel zaait. Het einde van die weg is bereikt wanneer men accepteert dat die dubbelzinnigheid onvermijdelijk is, de bestemming is waarvoor men aanvankelijk vluchtte.

Een kwetsbaar bestaan

De angst voor de vrijheid, voor schuld, doet velen verlangen naar een wereld waarin nog alles goed is. Het is de wereld die herinnert aan de kindertijd, de fase van onmiddellijke verbondenheid aan de moeder, de wereld waarin men zelf nog niet bestond dan als verlangen en vervulling. Om zichzelf te worden moet men die wereld verlaten, maar vergeten kan men haar niet. Een terugkeer is verleidelijk en gevaarlijk. Verleidelijk omdat de wereld er weer een paradijs is geworden, gevaarlijk omdat men daarin pas echt zichzelf verliest. Het is de wereld die in de parabel van de Verloren Zoon wordt beschreven als het domein van de oudste zoon (Le Du, 1977).
Om zichzelf te worden moet men zich vrijmaken van wie men afhankelijk is. In de parabel is het de weg van de jongste zoon. Hij verlaat het ouderlijk huis en verbrast de erfenis. Als er geen banden meer zijn die hem binden, verlangt hij weer naar huis te gaan. Die terugkeer wordt niet gehinderd door angst voor de moraal van de vader, diens oordeel over goed en kwaad. Dat oordeel is ook niet wat hij zoekt. Wat hem naar huis drijft is het verlangen de eenzaamheid te doorbreken, weer gekend te worden, iemand te zijn. Die terugkeer wordt door de vader ook gehoopt. Verlangend staat hij uit te kijken naar de zoon die zijn huis verlaten heeft. Ook die vader beseft dat hij pas vader kan zijn wan-

neer die zoon hem niet meer nodig heeft uit behoefte, maar wanneer die zoon hem kiest in vrijheid.
In onze tijd lijkt er een grote behoefte te bestaan aan sterke helden, aan inspirerende voorbeelden, aan charismatische leiders. Het lijkt alsof deze idolen plaatsvervangend zijn voor de verloren vader, nodig zijn ter fundering van een besef van richting en perspectief. Zulke idolen voldoen aan een behoefte wanneer keuzen overweldigen en men uit onvermogen en angst zich liever conformeert aan de norm van succes en acceptatie. Passender lijkt het echter dit verlangen naar identificatie met een ander die groter is dan men zichzelf beleeft te zijn, te verklaren uit een nimmer aflatende queeste naar de verloren moeder. Leiders worden niet gezocht als remplaçant van de verdwenen vader, als leidslieden in de jungle van goed en kwaad. Zij worden gezocht als plaatsvervanging voor de verloren eenheid met de voedende moeder (Schiffer, 1973). Moeders bieden bescherming tegen de last van de vrijheid, zij helpen om overeind te blijven waar de schaamte over het eigen falen te veel driegt te worden. Zij geven de kracht om ondanks alles toch weer verder te gaan. Misschien is de vader uit de gelijkenis wel de moeder die alles verdraagt, met wie gebroken moet worden om zichzelf te worden, maar die altijd wacht op het kind dat zichzelf is kwijt geraakt.
Het is de onvermijdelijke breuk in de band die ons met haar verbond, die wij in het kader van de oorsprongsmythe geneigd zijn als schuld te interpreteren. Dat nooit wijkend besef van verlies, van het verloren gaan van een oorspronkelijke eenheid die ons bestaan fundeerde en bevestigde, stempelt ons leven en samenleven als onaf en onvolmaakt. Zonder moeder resten ons niet anders dan eenzaamheid en strijd, jaloezie en concurrentie. Het gemakkelijkste is om de breuk met de moeder te benoemen als een verlies van onschuld (cf. Capps, 2000). En dat is misschien ook wel het meest praktische. In de breuk met de moeder ligt echter steeds de dreiging dat wij ook zelf verloren gaan. Ofschoon die breuk ons met een zeker schuldgevoel vervult, verdringt dit besef de onschuld te hebben verloren, het veel pijnlijker gevoel van schaamte nooit te zullen worden die wij wensten dat wij waren. Wezenlijk in de verloren onschuld is zo het er in veronderstelde maar onuitsprekelijke besef van de fragiliteit van ons bestaan. Een kwetsbaarheid die men alleen maar kan overleven door te doen alsof.

Literatuur

1. Amelink, A., *De Gereformeerden*. Amsterdam: Bert Bakker, 2001.
2. Drewermann, E., 'Die biblische Geschichte von Schöpfung und Sündenfall', in: idem, *Wort des Heils, Wort der Heilung. Von der befreienden Kraft des Glaubens.* Band 1, Düsseldorf: Patmos Verlag, 1998, pg. 42-74.
3. Capps, D., 'The Oedipus Complex and the role of religion in the neurosis of father hunger, in: *Pastoral Psychology*, 49, 2, 2000, pg. 105-119.
4. Du, J. le, *Wie is eigenlijk de verloren zoon?*, Antwerpen/Amsterdam: Patmos, 1977.
5. Dulk, M. den, 'Zó wil ik niet geholpen worden! Een aanzet tot een theologische bezinning op "helpen"' in: R. Nauta (red.), *Helpen. Zin en onzin*, Kampen: Kok, 1993, pg. 51-63.
6. Freud, S., *Totem und Tabu*, Frankfurt/M., Fischer, 1956.
7. Musschenga, B. 'Succes, hé!', in: *In de Marge*, 8, 4, 1999, pg. 3-11.
8. Nauta, R., 'Verleiden: leiden als leugen. Over helden en heiligen', in: Herman Beck en Rein Nauta (red.), *Over Leiden – structuur en dynamiek van het religieus leiderschap*, Tilburg: Syntax, 1999, pg. 220-248.
9. Nauta, R., 'Excuus als excuus' in: R. Nauta e.a., *Excuus, pardon, vergeef me, het spijt me – exercities in de excuuscultuur*, Nijmegen, Valkhofpers, 2001, pg. 11-33.
10. Schiffer, I., *Charisma. A psychoanalytic look at mass society*, New York: The Free Press, 1973

Hè, opa, vertel nog eens van vroeger...

Een exploratie van het begrip 'erfzonde' voor kinderen van nu

Hans Strijards

De rooms-katholieke traditie is in zekere zin te vergelijken met wat er op de zolders van onze grootouders ligt. Die zolders liggen volgestouwd met allerlei voorwerpen die herinneren aan een nog niet zo lang verleden, dat desalniettemin genadeloos voorbij lijkt te zijn. Wat je op opa's zolder aantreft is gedateerd: vergeelde brieven, albums met zwart-wit foto's, oude lampenradio's, een stoel met een opengescheurde zitting waar het jute uitpuilt. Het maakt je nieuwsgierig om deze voorwerpen ter hand te nemen: in de versleten stoel te gaan zitten en de brieven door te lezen, de albums met foto's open te slaan, want ze hebben iets exotisch-nostalgisch. Ze tonen ons een werkelijkheid die niet van hier en nu is, maar voorgoed voorbij. Deze werkelijkheid is ver weg, ongrijpbaar en onherhaalbaar. De oude dingen tonen ons een tijd waarin wij vaak een grote geborgenheid menen te ontwaren (vroeger kon je lachen, vroeger was het gezellig) en die tevens een hardheid in het bestaan kende die er nu niet meer is. Het verleden is voor een deel een zwart gat, waarop we al onze verlangens en behoefte aan compensatie kunnen projecteren, zonder ons te verbinden met de negatieve kanten. We hoeven immers niet bang te zijn dat het verleden wederkeert en aan ons rekenschap vraagt. Daarom kan ik op opa's zolder lustig en ongestraft mijn gang met zijn albums en brieven en er een wereld omheen bouwen die nooit zo was.
Een aantal elementen uit de rooms-katholieke traditie hebben dezelfde aantrekkingskracht, vooral voor degenen die het Rijke Roomsche Leven niet hebben meegemaakt. Biecht, zonde, bedevaart en rozenkrans verwijzen naar een andere tijd en een andere plaats waarover je mensen vaak hoort zeggen 'Toen had je nog...' en 'Toen kon je nog...'. Zo geldt dat ook voor het begrip 'erfzonde'. Het is voor ons nu een vreemd woord. Het lijkt wel een echo te zijn van een andere wereld, waarin mensen anders dachten en waarin het leven zich anders gedroeg. Die wereld is – gelukkig maar – nooit meer zo op dezelfde manier terug te halen.

Toch loont het soms extra de moeite om oude dingen nog eens uit de kast te halen. Niet alleen omdat ze verwijzen naar een verre wereld, en ons daarmee avontuurlijk stemmen. Af en toe ligt er op opa's zolder nog wel iets waarmee je ook nu nog wel daadwerkelijk iets kunt doen. Zo'n petroleumlamp geeft toch wel gezellig licht als de elektriciteit is uitgevallen en er is soms niets beters dan zo'n oude fauteuil om een boek te lezen van Charles Dickens. Dat zit toch wel anders dan die moderne ergonomische zetels. Onder die oude spullen zijn soms zaken die bestemd zijn voor hergebruik.
Geldt dat ook voor het begrip 'erfzonde'? Ik weet het niet. Hopelijk niet op de manier waarop het begrip ooit functioneerde. Maar voordat je daarover kunt praten, moet je eerst weten waar het begrip oorspronkelijk toe diende. Is de betekenis van het woord eigenlijk nog wel naar boven te halen? In dit verhaal wil ik proberen een paar elementen uit het begrip inzichtelijk te maken aan de hand van hedendaagse levenservaringen.

Terug in de tijd

Maar eerst terug in de tijd. 'Erfzonde' is een woord dat herinneringen oproept aan tijden van ver vóór opa's zolder. Generaties aan generaties worden in de geschiedenis terug aaneengeregen, totdat we uitkomen in de oertijd van de eerste mens. Daar is het allemaal met de erfzonde begonnen, bij Adam en Eva in het paradijs. Het eten van de verboden vruchten uit de boom der kennis, het zwichten voor de verleiding, en de erop volgende uitdrijving uit het paradijs. Met die gebeurtenis, zo wil de traditie, hebben wij als mensen de smet der zonde gekregen, een smet die ons nooit meer heeft verlaten. Laten we op dat verhaal nog eens ingaan.
In het bijbelboek Genesis lezen we dat de slang, zo sluw als hij is, op Eva inpraat om te eten van de vruchten van de boom uit het midden van de tuin van Eden. Zou ze eten, dan zou ze belangrijke kennis verwerven. En Eva gaat hierop gretig in en eet, samen met haar man. Na het eten ondergaan ze de pijnlijke gewaarwording dat ze feitelijk naakt zijn. En ze dekken hun naaktheid af met vijgenbladen. En juist die bedekking trekt Gods aandacht, en aan Hem moeten ze bekennen inderdaad van de verboden vruchten te hebben genomen. Dan staat er geschreven:

> De mens noemde zijn vrouw Eva, omdat zij de moeder is geworden van alle levenden. En de HEER God maakt kleren van huiden voor de mens en zijn vrouw en kleedde hem ermee. De HEER God zei: 'Nu de mens in de kennis van goed en kwaad als een van Ons geworden is, wil ik voorkomen dat hij zijn hand uitstrekt en ook van de boom van het leven plukt. Door daarvan te eten zou hij eeuwig blijven leven!'. Daarom verwees God hem uit de tuin van Eden, en moest hij de grond gaan bebouwen waaruit hij was genomen. Hij verjoeg dus de mens uit de tuin en aan de oostzijde van de tuin van Eden plaatste Hij de kerubs en de vlam van het wentelend zwaard, om de weg naar de boom van het leven te bewaken.

Zo staat het in de bijbel. Dit verhaal is in het verleden, in de loop der eeuwen een eigen leven gaan leiden, evenals de theologie over de erfzonde. Aan de erfzonde zijn in de christelijke traditie gedachten gewijd die mijlenver reiken buiten de strekking van dit concrete verhaal. In onze eigen tijd wordt het verhaal nogal eens gebruikt door christelijke groeperingen die zich verzetten tegen reageerbuisbevruchting en genetische manipulatie. Maar laten wij ons even ergens anders op richten, namelijk op het moment dat Adam en Eva de verboden vruchten ter hand nemen, eten, hun naaktheid proberen te verbergen en zo de aandacht trekken van God die hen ten slotte uit Edens tuin verwijdert. Wat is de betekenis van deze reeks op elkaar volgende handelingen? Waarom wordt het zó verteld, en hoe kunnen we hierin de erfzonde zien? Hoe komt het dat de christelijke traditie in deze reeks handelingen de oorsprong van een schuld ziet, die sindsdien eigen is aan de mensheid en die de mensheid in zekere zin nooit meer verlaten heeft?
Deze vragen worden ook door de nieuwe catechismus gesteld, en de reactie van de nieuwe catechismus hierop vormt een leidraad van het verhaal dat ik nu aan u wil vertellen.

De nieuwe catechismus probeert het begrip 'erfzonde' te introduceren als een *persoonlijke levensgebeurtenis* en als een *algemene schuldigheid*. De erfenis van het eten van de verboden vrucht wordt door deze catechismus in ons eigen leven klaarblijkelijk op twee manieren gevoeld. Allereerst in ieders individuele persoonlijke leven. De gebeurtenis van de zondeval waarover het bijbel-

boek Genesis verhaalt, is een drama dat zich in ieder individueel leven afzonderlijk, ergens in het begin, steeds opnieuw, herhaalt. In ieder mensenleven is een punt waarop deze tragische gebeurtenis opnieuw vorm krijgt, waarna dat mensenleven nooit meer hetzelfde zal zijn. Dit mechanisme (om het zo maar eens te noemen) is klaarblijkelijk onafwendbaar, als we de catechismus mogen geloven. Ten tweede, naast de ontdekking van het persoonlijke, individuele kwaad is er ook de gewaarwording van het collectieve kwaad dat voor een inzicht in de strekking van erfzonde relevant is. Adam en Eva verbeelden niet alleen twee unieke persoonlijkheden, maar verwijzen ook naar de totaliteit van de mensheid. Zij symboliseren het geheel van de mensheid, en in hun val sleuren zij ons allen mee. Daardoor wordt de zonde zichtbaar, niet als een persoonlijke daad, maar als een collectief gegeven. De zonde is dan een eigenschap van de mensheid als geheel, een onvermogen van het collectief. Dat is groter dan ons persoonlijke handelen en vormt als het ware de context ervan. Ook dat collectieve kwaad is voor ons mensen, aldus de catechismus, een onvermijdelijk en overrompelend gegeven. Een smet waartegen ik mij niet verweren kan, maar die mijn leven wel in een negatief licht stelt.
Zo zijn er dus twee aspecten die volgens de catechismus wezenlijk zijn aan het begrip erfzonde: het onafwendbare, zich steeds herhalende drama van de persoonlijke zondeval en de problematiek van het collectieve kwaad waarvoor ik mij als eenling niet kan afschermen en dat ook mij dus treft. Deze twee aspecten wil ik nu gaan onderzoeken aan de hand van moderne ervaringen. Laat ik eens kijken of ik met die eigentijdse ervaringen de term 'erfzonde' een zekere relevantie kan geven.

De persoonlijke zondeval

Hoe moet ik dat nu uitleggen, die persoonlijke zondeval. Klaarblijkelijk is er – volgens de catechismus – in ieders leven een moment waarop men in zichzelf de onvermijdelijke zonde herkent. Laat ik in deze gedachte eens meegaan. Dan welt bij mij de volgende vraag op: wat is dat voor moment? Is dat een moment, gelijk aan het begin van het leven, of kun je dat ook pas op je tachtigste meemaken? Is dat een bewust moment, waar iedereen bij zichzelf gelijk weet van heeft? En: waarom zitten de kerken dan niet vol met mensen, massa's die hun zonden willen belijden? In mijn idee gaat het hier om iets plotselings dat heel ongrijpbaar is. Een moment dat als vonk oplicht in een mensenleven, héél even maar. Sluipenderwijs. Zo weer weg en vaak vergeten, en toch onomkeerbaar. Vaak vergeten, maar niet altijd. Augustinus heeft nooit de herinnering aan de perendiefstal achter zich kunnen laten, een diefstal die hij als jonge gast in zijn onschuld had gepleegd. Die herinnering was pijnlijk; een smet die bleef achtervolgen.

Ik ben twee jaar geleden vader geworden. Ik ben zo'n soort vader die zo'n duidelijke kinderwalm om zich heen draagt. Die steeds verhalen vertelt over de kleine, en daarmee vaak blikken van meewarigheid oogst. Direct na de geboorte, zo weet ik nu, worden kinderen aan allerlei tests onderworpen. Hun reflexen worden getest, de wijze waarop ze op hun omgeving reageren, ze worden gewogen en hun lengte wordt gemeten. Later wordt in het ziekenhuis hun ontwikkeling in eerste instantie nauwgezet gevolgd. Kunnen ze op een gegeven moment al dingetjes van de ene hand overpakken in de andere hand? Lachen ze al, herkennen ze mensen en voorwerpen uit hun omgeving? Hoe reageren ze op bepaalde geluiden? Na drie maanden kreeg ik te horen dat mijn zoontje op bepaalde gebieden al achterliep. Het was niet zorgwekkend, maar moest toch in de gaten worden gehouden. Toen hij drie maanden oud was, liep hij al achter, werd hij al vergeleken met anderen en werden zijn prestaties gemeten. Als je zo'n klein kind zo onderworpen ziet aan al die tests, realiseer je je pas hoezeer wij allen in de klauwen zijn gevangen van de prestatiemaatschappij, die leert dat we ons moeten vergelijken met anderen en dat we het tempo minstens moeten bijhouden en vooral niet achterop mogen raken. Dat is vaak onmerkbaar, maar als je merkt dat zo'n kleine na drie maanden reeds op zijn prestatie geoordeeld en geclassificeerd wordt, gaat er wel een schok door je heen. Een kind wordt niet in een isolement geboren, maar in een cultuur waarin het zich van meet af aan te bewijzen heeft en waaraan het moet voldoen, met al zijn gemiddelde waarden en al zijn criteria van buiten af. Je kunt niet mee, tenzij je zelf het tegendeel laat zien. Dat is de culturele context van mijn zoon. Maar het gaat hier in eerste instantie eigenlijk om een gegeven dat in de volgende paragraaf ter sprake komt: die van de algemene schuldigheid. Daarom laat ik deze context even liggen en volg het spoor van mijn kind, tot het moment dat deze zélf, persoonlijk van een zonde bewust wordt.

Ondanks alle tests heeft hij gewoon een eigen ontwikkelingstempo gevolgd, maar dit lag klaarblijkelijk binnen de marge van het aanvaardbare volgens het medisch circuit. Hij groeit, en kan zich op een gegeven moment van zijn rug

op zijn buik draaien en andersom. Vanwege onze culturele achtergrond staan wij als ouders dan te juichen. Daarna leert hij zelfs kruipen, hoera! En zo volgt het kleine mensenleventje zijn prille weg, van een beetje kunnen naar steeds meer kunnen. En dan komt het moment waarop hij zich vastgrijpt aan de rand van de salontafel en zich overeind trekt. Langzaam en met wankele bewegingen trekt het kind zich op. Steeds hoger, totdat hij op het tafelblad kan kijken. Het walhalla! Daar staan dingen die voorheen nooit binnen handbereik waren. De ogen worden groter en zien zaken waarmee de ouders steeds bezig waren, maar waar de kleine nooit bij kon. Voelt u de spanning? En impulsief, in een reflexhandeling strekken grijphandjes zich voorwaarts om te pakken. Beet! Een kamerplant: een Kaapsviooltje. 'Nee!', gillen de ouders in schrik. 'Niet doen. Mag niet!' Zij zien voor hun geestesoog al de pot in scherven, bloedende handjes, vreselijke kwetsuren, en potgrond op de berber. Ons kind hoorde ons ook aldus schreeuwen, verstijfde van schrik op ons roepen, liet de kamerplant staan en barstte in onbedaarlijk huilen uit. Ontroostbaar was hij, met diepe halen, en vloeiende tranen die in warme stromen langs de wangen stroomden. Ik probeerde hem te troosten. Hij was immers niet stout geweest. Hij deed iets waarvan hij de gevolgen nog niet kon inzien; geenszins iets dat hem te verwijten valt. Hij moet nog leren wat gevaarlijk is en niet, wat pijn kan doen en niet. Maar hij liet zich niet bereiken, totdat ik zijn aandacht richtte op iets anders dat buiten de situatie stond. De parkiet, die af en toe uit zijn kooi los mag, en de kamer vult met gefladder. Het deurtje ging open en we lieten het vogeltje vliegen. Onze zoon vergat het verdriet en lachte met de tranen nog in de ogen om het beestje dat een plekje zocht in de hanglamp.
Maar die ontroostbaarheid van dat moment. Het kind sloot zich op in pijn en verdriet. Zó onbereikbaar voor koesterende woorden van de ouders. Terwijl het hier niet ging om verwijtbaar schuld, maar om onwetendheid. En daar kon het kind toch niets aan doen? Ik heb daar veel over nagedacht, over die situatie van ontroostbaarheid. Hoe kun je het verdriet erachter het best verwoorden. Het was alsof in een plotseling moment die kleine door een inzicht was getroffen. Een inzicht waarvoor het nog geen taal had om het uit te leggen, maar toch was het erdoor getroffen. Plotseling, als een vonk, even snel weer weg, maar toch onmiskenbaar en onomkeerbaar. Het begrip dat je handelt zonder dat je de gevolgen van je daden echt kent, zo leg ik het gevoel uit in de woorden van een volwassene. En het verdriet dat je dáäraan hebt. Het gaat er

niet om dat je iets fout doet. Het gaat erom dat je handelt zonder de gevolgen volstrekt te kennen. Een gevoel van incompetentie, je móet leven maar je weet nooit volstrekt wat je daden uitrichten. Daarvoor moet je helderziend zijn, of alwetend. En dat zijn we niet, en dát doet pijn. Misschien is het wel zo, dat we bij het ouder worden niet steeds beter de gevolgen van ons handelen leren inzien, maar dat we steeds beter de stem leren vergeten die bij ons levenstoneel roept: 'Nee! Niet doen! Mag niet!' Maar dat loeiende stemgeluid klinkt bij mijn zoon in zijn hoofdje nu nog door en maakt hem af en toe voor ons ontroostbaar en onbereikbaar, terwijl we dat helemaal niet willen. Het lijkt wel alsof hij niet zonder schuldgevoelens mag opgroeien.
Ik denk dat die onvermijdelijkheid van schuldgevoelens die opkomen zonder dat ze op de situatie van dat moment lijken te passen iets duidelijk maken over de persoonlijke zondeval. Het is sterk te associëren met het verhaal van Adam en Eva die in hun onschuld snoepen van de boom der wijsheid en daarna getroffen worden door een schuldgevoel, zonder dat ze een besef hebben van de reikwijdte van hun handeling. Dit wordt herhaald in de schok waarmee iedereen van ons vroeg of laat tot leven komt, en die al het andere besef even doet verstommen: er is iets vreselijks gebeurd, maar wat? Dit besef heeft met de feitelijkheid van ons particuliere bestaan te maken waarover we geen overzicht hebben. Het wordt vaak vergeten, zo snel als het is opgekomen, want het leven gaat verder en confronteert ons met telkens weer nieuwe en andere prikkels waardoor we van dit besef worden afgeleid.

Algemene schuldigheid

Maar die onthutsende ontdekking van persoonlijke onmacht is toch van een andere orde dan dat tweede aspect waarop de roomse catechismus ook wijst wanneer ze over erfzonde spreekt. De algemene schuldigheid heeft met de persoonlijke zondeval gemeen dat het hier gaat om een pijnlijk gebeuren waartegen een mens zich niet verweren kan. Daardoor wordt ze in de catechismus aan de categorie erfzonde toegeschreven. Maar waar de persoonlijke zondeval diep subjectief is, daar is de algemene schuldigheid veel meer een objectief gegeven. Wat ik hier als persoonlijke zondeval beschrijf, raakt een mens diep in het innerlijk en werpt hem terug op het persoonlijke zelf, zózeer dat hij daarin wordt opgesloten en dat hem onbereikbaar maakt voor anderen. De algemene schuldigheid wortelt in diezelfde notie van de erfzonde, maar openbaart zich op een heel an-

dere manier. Eigenlijk heb ik er al veel van beschreven. Ik heb hierboven verteld dat mijn zoontje vanaf de geboorte is onderworpen aan allerlei tests. Eigenlijk is dat al voor zijn geboorte aan de gang geweest. Reeds in de baarmoeder is er contact met hem gezocht, is zijn hartslag opgenomen, zijn er echofoto's gemaakt, zijn er puncties uitgevoerd, en is geteld of alle organen wel bij hem aanwezig zijn. Vanaf het prille begin na de conceptie dringt de buitenwereld reeds de baarmoeder binnen en prikkelt de vrucht. Vanaf het begin is duidelijk dat geen kind alleen is, maar dat er een omgeving is waar het bij hoort en die het opeist. Het kind hoort bij een familie, een geslacht en een maatschappij en wordt daarmee gestempeld. Hierboven heb ik het gehad over de prestatiemaatschappij die na drie maanden al prestaties verlangt, vaardigheden test en het kind aan normen onderwerpt van een moordend tempo waaraan het te voldoen heeft. Zo is het meteen al niet meer alleen, het heeft te maken met algemene normen waaraan het zich niet kan onttrekken. Het wordt ingeboren.
Nu begin ik op een ander punt in de menselijke ontwikkeling waarop sprake is van de ontdekking van deze algemene schuldigheid. En ik probeer dat punt te beschrijven naar aanleiding van een persoonlijke ervaring. Toen ik dertien of veertien was waren er de nadagen van de Vietnamoorlog. Op het televisiescherm waren de grootste gruwelen te zien van kinderen met brandwonden, executies op straat, stromen oorlogsvluchtelingen op drift, mensen die zichzelf in brand staken, daar in dat verre Aziatische land. En de televisie bracht dat dichtbij alsof je er met je neus bovenop stond. De vieze smaak van die beelden is nooit uit mijn mond weggegaan. Hoewel ik persoonlijk niet verantwoordelijk was voor de getoonde gruwelen, ik zelfs alleen maar een machteloos toeschouwer was, was ik er wel mee verbonden. Het beschuldigde mij. Omdat ik hier in een veilig westers land zat, niet geteisterd door oorlogstoestanden. Omdat ik verwend was en materialistisch: bezig met hebben, bezit, met genieten en consumeren. En omdat ik daar zag wat voor haat en vernietiging mensen konden zaaien, en ik was een mens, dus ik zag daar gedragingen die ik ook zou kunnen vertonen in extreme omstandigheden. Ik had de veilige wereld waarin ik leefde immers niet zelf geschapen. En vooral omdat ik woonde in een werelddeel dat op de een of andere manier solidariseerde met Amerika, dat als een wereldheerser probeerde verre landen en volken te bedwingen met de meest afschuwelijke en onmenselijke middelen. Allemaal gevoelens waardoor ik werd belaagd, en nog steeds wordt belaagd wanneer ik de dagelijkse

actualiteiten zie. Je kunt er niks mee, maar je moet er wel wat mee. Ik doofde deze gevoelens als puber uit door het andere net op te zetten en te kijken naar actiefilms of een kalmerend natuurprogramma. Maar feitelijk hebben deze ontspanningsprogramma's dezelfde functie als het parkietje dat ik door de kamer laat vliegen als mijn zoon een huilbui heeft na een 'ongelukje'. Ze confronteren ons met het ledige niets nadat we zijn geschokt door een notie die betekenisvol en essentieel voor ons leven is, en die ons rusteloos onmachtig maakt. Laat dit besef eens tot je doordringen: dat je door beelden van verre werelddelen elke dag weer kan worden verantwoordelijk gesteld. Hoe durven die beelden dat? Ik ben daar nooit geweest. Ik heb dat niet gedaan. Wij worden niet alleen beschuldigd door een persoonlijk geweten dat ons confronteert met eigen daden. Wij worden ook beschuldigd door een voorgeschiedenis van onze ouders, onze familie, onze cultuur, ons werelddeel. Die voorgeschiedenis dragen wij in onze genen mee, en je kunt die ontdekken op zo'n banaal moment dat je met een zak chips naar het nieuws probeert te kijken en je kunt geen hap door je keel krijgen. Hongerige blikken kijken ons vanaf het beeldscherm aan. En het zijn niet de blikken van de mensen die ons beschuldigen. Vaak zijn hun ogen uitgehold en verdoofd. Maar het is de honger zelf die ons beschuldigt. En daar kun je weinig tegen inbrengen. Wij kijken niet als persoon alleen, maar net zo goed als exponent van een geslacht en een volk. Wij hebben deze schuld der mensen die elke keer weer toestaan dat er iemand pijn lijdt, onteerd wordt en hongert als het ware 'ge-orven'. Toegegeven, de ene mens heeft er meer talent voor dan de andere om deze gewaarwording tot zich te laten doordringen, maar wéten van de gebeurtenissen in de wereld is je schuldig voelen. Met deze beschouwing heb ik wat willen laten zien van wat 'algemene schuldigheid' kan zijn.

De beelden 'persoonlijke zondeval' en 'algemene schuldigheid' lopen heel duidelijk uiteen. Het eerste beeld toont een mens die zich volkomen alleen voelt, het tweede beeld toont iemand die zich exponent weet van een volk met een geschiedenis vol haken en ogen. Bij het avondnieuws kijkt soms heel dat volk over onze schouder mee en ademt ongemakkelijk in onze nek. En daar ergens tussen zitten ook Adam en Eva; wij horen het storende gekluif aan die appel terwijl er op de beeldbuis mensen honger lijden.

Beide beelden tonen volgens de catechismus echter hoe de erfzonde zich in ons bestaan kan opdringen. Zij zijn dus verbonden met een en hetzelfde: zij maken een mens bewust van de wortels van het eigen leven. En als ik zo over de erfzonde schrijf, dan denk ik dat de notie 'erfzonde' ons een realiteit toont van dat eigen bestaan, een realiteit die voor iedere mens herkenbaar kan zijn. In eerste instantie is het realiteit: de herkenning ervan is niet gelijk als positief of negatief te beoordelen. Het is een doordringen van een besef en dat gaat altijd schoksgewijs. Maar strikt genomen kan dit besef ons misschien louter(end) leren over onszelf: wie wij zijn en waar wij staan.

> Ik zit nog steeds op opa's zolder. Even heb ik een doos opengedaan, waar een geur uitkwam van vroeger. opa's vroeger. Iets van oude kostscholen, van katholieke internaten, van elke ochtend naar de kerk en bidden voor het slapen gaan. Toch dacht ik even die geur te herkennen. Iets uit mijn eigen leven, waar ik ooit geweest ben, wat ik ooit heb meegemaakt. Maar de geur vervliegt snel, ik ben hem zó al weer kwijt. Daarom sta ik op uit mijn oude leunstoel en ga weg, de trap af naar beneden. De zolder blijft stil en schemerig liggen wachten tot er iemand terugkomt. Ik doe de deur open en het felle daglicht wordt weer mijn wereld, met geluiden en bedrijvigheid, roepende stemmen, dingen die gedaan moeten worden en die me opeisen.

Ik hoop met mijn zoontje ooit zover te komen dat hij zich in zijn huilen niet meer alleen voelt, zonder de noodgreep hem met spelletjes af te leiden. Maar ik denk dat dat een illusie is. De moderniteit leert ons heel goed hoe we onszelf moeten afleiden van gevoelens van onrust en onbehagen. Van gewaarwordingen van het onbenoembare dat ons te dicht op de huid zit. Een modern groeiproces leert ons steeds beter afleiden. De mogelijkheden zijn eindeloos. Maar om dat moment van onbehagen en rusteloosheid tot je bewustzijn door te laten dringen zonder jezelf erin kwijt te raken, is wat anders. Daarvoor moet je niet weglopen voor de eerste pijn. Je moet het durven voelen en dan proberen er woorden voor te vinden. Vroeger hadden ze daar woorden voor; misschien waren ze toen minder bang voor pijn. Woorden die hebben te maken met je wortels, met onze geestesgeschiedenis, met ons verleden. 'Erfzonde' is zo'n woord. Maar als je dat wilt achterhalen en doorleven moet je wél opa's donkere zolder op.

Hervonden onschuld

Willem Marie Speelman

Het is vrijdagavond, iets na tienen. Ik loop in Amsterdam langs een paar jongens over een brug het terrein op waar tegenwoordig de Stopera staat. Het ligt braak en er staan bussen geparkeerd. Eenmaal op het terrein merk ik dat de jongens achter mij aan lopen. Ze fluisteren tegen elkaar en proberen zo geruisloos mogelijk mij van achteren te overvallen. Op dat moment slaat de schrik me om het hart. Maar mijn hoofd denkt heel helder: 'Van de Amstel weglopen, zodat ik niet lamgeslagen in het water beland en verdrink. Rustig lopen en alles over me heen laten komen. Niet grappig gaan doen.' De overvallers zitten me nu op de hielen. Een van hen doet zijn armen om me heen, zodat ik me niet kan verzetten, een ander zet een pistool tegen mijn hoofd en een derde zwaait met een mes. De vierde zegt met een overdreven geacteerde rauwe stem: 'Je geld!' Ik hoor mezelf antwoorden: 'Ik heb honderd gulden in mijn portemonnee zitten. Ik zal ze eruit halen.' 'Goed, maar geen geintjes!' Ik geef ze mijn geld en ze gaan er vandoor. Terwijl ze weglopen hoor ik er één dreigen: 'En geen politie erbij halen, jongen, want we weten je te vinden!' De laatste van het stel pakt nog snel mijn horloge af en rent zijn vrienden achterna. De volgende avond zag ik de film First Blood van Sylvester Stallone, waarin de hoofdpersoon al zijn tegenstanders vernietigt. Ik heb nog nooit zo intens genoten van een film! En nog jarenlang heb ik dromen gehad waarin ik hele cafés in puin sloeg.

Dramatische gebeurtenissen in ons leven hebben vaak het karakter van een spel. Drama's zijn niet onschuldig, want ze hebben een grote invloed op ons leven, maar het zijn wel *spelen*, want ze spelen zich af in een eigen afgezonderde ruimte en tijd. Het drama heeft een enorme macht: het is in staat de tijd en de ruimte zijn regels op te leggen, daarbij een eigen dramatische tijd en ruimte creërend; het drama is evenzo in staat ons, mensen, een rol op te dringen en ons te veranderen in acteurs die iets *moeten doen* of die iets *overkomt*. Wij hebben die rol te spelen volgens de regels die het drama ons oplegt. In de overval die ik meemaakte, viel me meteen op dat de jongens een spel aan het spelen waren. Dat gaf me overigens ook enig vertrouwen op een goede afloop. Ik hoopte dat ik, wanneer ik het spel naar behoren zou spelen, het er goed van af zou brengen. Ik moest dus in enkele seconden mijn rol als vrij student omkeren in de rol van slachtoffer, en wel een *waardig* slachtoffer. Want een waardig slachtoffer mag er zijn, ook volgens de overvallers. Ik moest in enkele seconden als slachtoffer een dramatische relatie aangaan met deze onbekende jongens, die zichzelf al als daders op het spel hadden gezet. En mochten deze jongens een kick van hun spel hebben gekregen, ik was erdoor ontzet. Het gevoel van ontzetting is jaren blijven hangen. Dramatische gebeurtenissen dwingen mensen ineens in een bepaalde rol. Dit kan de rol van slachtoffer zijn, maar het kan ook voorkomen dat een mens zich ineens als dader tegenkomt, bijvoorbeeld wanneer hij een dodelijk ongeluk veroorzaakt; of de mens kan in de rol van toeschouwer worden gedwongen, wanneer hij machteloos getuige is van een drama. De rol wordt de mens meestal in luttele seconden opgedrongen, en de meeste mensen zijn in staat hun nieuwe rol zeer snel op zich te nemen. Daar staat tegenover dat ze er lang over doen om die rol weer af te leggen en weer vrij mens te worden. De gebeurtenis heeft een diep en onuitwisbaar spoor achtergelaten in het eens vrije leven. En zij die de opgedrongen rol niet af kunnen leggen, zullen moeite hebben om normale vrije relaties aan te gaan: altijd zullen hun relaties op een of andere wijze gekleurd worden door het bewustzijn van het slachtoffer, of de dader, of de toeschouwer.

Ieder drama gaat over veranderingen. Het gaat van een beginsituatie naar een eindsituatie. De jongens die mij overvielen begonnen zonder geld en eindigden met geld, of in een iets waarachtiger vertelling: zij begonnen niet onschuldig en eindigden schuldig. Maar er kan ook naar de overval gekeken worden vanuit mijn perspectief: ik had aanvankelijk geld en ten slotte geen geld, of in een iets diepzinniger vertelling: ik begon onschuldig en eindigde niet zonder (!) schuld. Een spel is pas afgerond wanneer het tot een goed einde is gebracht. En voor mij als slachtoffer is de roofoverval niet af te doen als een spel dat tot een goed einde is gebracht. De beginsituatie is wel veranderd in een eindsituatie, maar dit einde roept vooral verlangen op, verlangen naar een nieuw begin, de hervonden onschuld.

Ieder drama heeft een zelfde structuur. Zo gaat het in het drama altijd om een bepaald waardeobject dat de hoofdpersoon wil verwerven. De hoofdpersoon speelt het spel om de knikkers: geld of deugd of macht of liefde of vrijheid. Er is vaak ook een tegenstander. De tegenstander wil voorkomen dat de hoofdpersoon het waardevolle object krijgt. Daarom moet de hoofdpersoon zich toerusten, wapenen als je wilt, met helpers en hulpmiddelen om het object te kunnen winnen. De tegenstander zal zich natuurlijk ook toerusten tot een competent strijder. Dan komt onvermijdelijk de strijd, waarin de hoofdpersoon de tegenstander uitschakelt en het object krijgt. De laatste fase van het spel is er een van triomferen en genieten. De jongens waren hoofdpersonen, die mijn geld wilden. Zij verwierven competentie voor de roof, onder andere door met velen te komen en met wapens te zwaaien. Zij overvielen mij en namen mijn geld mee. Ten slotte hebben ze feest gevierd. Zo beschouwd een goed verhaal. Maar dat was niet *mijn* verhaal. In mijn verhaal ben ik de hoofdpersoon en zijn die jongens de tegenstanders. Hoe gaat mijn verhaal? Welk waardeobject is er voor mij te winnen? Hoe kan ik mij toerusten? Wat moet ik doen? En wanneer kan ik feestvieren? Ik moet op een of andere manier uit het spel van mijn tegenstander zien te ontsnappen en mijn eigen bestemming weer zoeken, mijn eigen toerusting hervinden, doen wat ik heb te doen, om uiteindelijk te kunnen genieten.

Ieder drama moet worden ingekleed. Het drama is een onschuldig spel zolang de personages nog niet zijn ingevuld. Maar het spel verliest zijn onschuld wanneer concrete personen uit hun eigen omgeving worden weggeroofd om een rol te spelen in het drama. Zo roofden de overvallers niet alleen mijn geld, maar eerder nog roofden zij mij weg uit mijn onschuldige leven. Zij kleedden hun spel in. Zij kozen de vrijdagavond uit als de geëigende tijd. Zij kozen een verlaten en braakliggend terrein uit als passende plaats van handeling. Zij kozen een toevallige voorbijganger als hun slachtoffer, en zijn geld als het te bemachtigen waardeobject. Zo roofden zij het geld, de tijd, de plaats, de mens en zichzelf. Want dat geld was *niet* bestemd voor hen, die vrijdagavond was *niet* bestemd voor het plegen van een overval, het terrein was *niet* bestemd voor misdaad, de mens was *niet* bestemd om slachtoffer te worden en de jongens zelf waren ook *niet* bestemd om misdadigers te worden. Dat deze dingen en deze mensen toch uit hun bestemming ontzet zijn, is te wijten aan de keuze van de jongens om hun spel concreet te maken. Het verlies van de onschuld door de inkleding van drama wordt gethematiseerd in verhalen waarin een auteur of een acteur langzaam tot de ontdekking komt dat zijn spel werkelijkheid is geworden en een eigen leven leidt.

Op het moment dat je uit je bestemming ontzet wordt, rijst de vraag wie je eigenlijk bent, dat je zomaar in een of ander drama verzeild kan raken. Was ik onvoorzichtig, onfortuinlijk of gewoon dom om daar op dat moment te lopen? Dit soort vragen worden ook gesteld aan de tijd en de ruimte, die vanaf dat moment besmet zijn door de ervaring van de overval. De avond is niet langer een tijd bestemd voor een romantische wandeling, maar is een dreigende tijd geworden. De straten in de stad zijn niet langer bestemd voor vrije doorgang, maar zijn gevaarlijke plaatsen geworden. Wanneer het vermogen tot relativering het weer gewonnen heeft van de angst en de haat, kan je hier ook nog wat van leren. Want je kunt je ook afvragen wie jij denkt dat je bent, en waar je de onschuld vandaan haalt te geloven dat de stad op vrijdagavond voor jou bestemd is. De bestemming van de mens, van de tijd en de stad zijn nog open. In onze keuzes en onze in daden bepalen wij, mensen, of de mens en de tijd en de stad bestemd zijn voor het goede leven of voor het ongeluk. Die avond waren de jongens aan zet. Aldus stelt het drama vragen over mij zelf als mens en over ons, mensen, als spelers in een spel. Ben ik wie ik ben, of speel ik altijd al een rol in een of ander spel? Bestaan mensen zomaar los van enige dramatische verwikkeling, of zijn zij altijd al acteurs op zoek naar hun bestemming? En als dat zo is, welke zetten zal ik doen zodat de tijd, de plaats en de mens hun openheid hervinden?

In het dagelijks leven spelen wij dat wij zijn wie wij zijn. De rol die wij in ons leven spelen is er een van authenticiteit. Het is de rol die in het docudrama *Big Brother* werd gehuldigd: Bart is al die tijd het meest zichzelf gebleven. Wij proberen te verschijnen zoals wij zijn, we proberen *waar* te zijn. Maar dat neemt niet weg dat we ook in ons dagelijks leven rollen spelen. Rollen die moeten worden geoefend, die soms wel eens slecht gespeeld worden. Want ook het dagelijks leven heeft het karakter van een spel. Dat alledaagse spel is echter gericht op de communicatie van de waarheid. In het dagelijks leven benaderen we de werkelijkheid als iets dat waar is. Als ik mij bijvoorbeeld voorstel aan een ander, zeg ik niet dat ik Napoleon heet, maar noem ik mijn eigen naam. Want ik wil dat men gelooft dat ik de waarheid spreek. Het alledaagse spel is *menens*. Zo was de overval die mij overkwam een spel waarin ik de dingen als werkelijk waar had te waarderen. Het pistool was echt, het mes ook, en de jongens waren vast ook wel in staat om mij te verwonden of te doden. Dit spel van de alledaagse werkelijkheid diende dus met de grootste ernst te worden gespeeld.

We kunnen echter ook willens en wetens de waarheid van het alledaagse leven ontkennen. Dan benaderen we de werkelijkheid als een illusie, en gaan we het leven spelen als in een theater. De illusie kan worden beschreven als het *niet laten verschijnen van het zijn*, oftewel als het maskeren van de werkelijkheid. In het theatrale spel werken we met de illusie, communiceren we in het latente bewustzijn dat de dingen niet zijn zoals ze schijnen. Als wij in het theater een man zien acteren dat hij Napoleon is, dan geloven wij natuurlijk niet dat hij echt Napoleon is, terwijl wij hem als acteur wel degelijk serieus nemen. We zitten namelijk in het theater en verwachten dat de man iemand anders speelt dan wie hij is. En dat spel is vooral gericht op de daad, op het creëren van een werkelijkheid naast of tegenover de ware werkelijkheid. Want zo is het spel en zo moet het worden gespeeld. Het doek valt niet pas als het theater is afgelopen, maar bedekt het spel al terwijl het wordt gespeeld. Ons gelaat is gemaskeerd. Ik heb de avond na de overval genoten van de actiefilm *First Blood* van Sylvester Stallone en nog vele jaren gewelddadige dromen gedroomd. En ik meen dat deze geweldsfantasieën heel goed geweest zijn. Maar dromen genezen geen wonden. Stel je nu eens voor dat men de overval zou gaan spelen als een toneelstuk. Zal de regisseur dan niet aan de overvallers vragen om wat meer geweld te gebruiken, en het slachtoffer om wat dramatischer te doen? Hij moet toch minstens worden neergestoken? Bij de illusie mag je verder gaan, omdat de esthetica van het theater de dagelijkse ellende draaglijk maakt, alleen al door te ontkennen dat zij werkelijk is. In een theatrale benadering van het leven ontkennen wij dat het leven per se zo moet zijn, omdat het leven ook anders zou kunnen zijn. Door die ontkenning nemen we afstand van het direct beleefde leven, zodat we er naar kunnen kijken. Als we op enige afstand naar ons leven kijken, hoeven we er niet onder te lijden en mogen we er zelfs van genieten. We mogen met Nietzsche zeggen dat het leven alleen als esthetisch fenomeen bevestigd mag worden: 'Nur als ästhetisches Phänomen ist das Dasein der Welt gerechtfertigt.' Ik vermoed dat veel mensen in dit postmoderne tijdperk inderdaad tevreden zijn met de esthetisering van de ellende. En niet geheel ten onrechte. Want de esthetisering stelt de mensen tenminste in staat afstand te nemen van het leed. We kijken ernaar, genieten ervan, lachen erom, zodat we het zelf niet hoeven te voelen. De keerzijde van de esthetisering is echter, dat wij ook echt afstand nemen van onszelf, wanneer wij onze gevoelens en onze lijfelijkheid rechtvaardigen in een louter esthetisch genot.

Wanneer voor een persoon niet meer duidelijk is of het leven nu waarheid is of illusie, wanneer hij buiten het theater nog steeds roept dat hij Napoleon is, dan heeft hij een therapeut nodig. In het therapeutische spel leren wij namelijk de illusie te ontmaskeren. De therapie is, net als het dagelijkse leven, eerder gericht op de communicatie van het woord dan op de scheppende daad. Dit woord schept geen werkelijkheid, maar roept de werkelijkheid achter de schijn te voorschijn. Niet alleen therapeuten, maar ook juristen en wetenschappers in het algemeen, benaderen de werkelijkheid vooral als een schijn die ontmaskerd dient te worden. En de ontmaskering van een bewering als leugen kan worden beschreven als een *doen verschijnen van het niet-zijn.* Ik ben na de overval nooit behandeld door een therapeut, maar ik kan me wel voorstellen wat de therapeut zou hebben gedaan. Hij of zij zou de overval ettelijke keren met mij hebben doorgenomen, misschien zelfs wel een keer nagespeeld, of gewoon door het mij te laten vertellen en opschrijven. En de therapie zou er op gericht zijn geweest mij terug te brengen bij mijn eigen gevoelens, om me zo weer tot mezelf te laten komen. Hij of zij zou proberen mij, als slachtoffer, een nieuwe rol te geven in het drama: het zou *mijn* spel worden, ik zou er *speler* in worden en niet speelbal. Langs deze weg zou geprobeerd worden mij weer zelfvertrouwen te geven. Ik zou weer een vrij en autonoom subject kunnen worden. Men kan zich echter de vraag stellen of de therapie in staat is zover te reiken, dat dit spel de mens werkelijk aan zichzelf teruggeeft. Is het niet eigen aan de therapie (en de medische zorg in het algemeen) dat zij de mens niet geneest, maar de voorwaarden schept waaronder de mens *zelf* geneest? De therapie kan mij niet laten zien wie ik ben. Zij kan mij laten zien wat ik *niet* ben: dat ik *niet* schuldig ben, dat ik *niet* machteloos ben en dat ik mij *niet* hoef te laten leiden door angsten. Maar wie ik zelf ben, dat laat de therapie uiteindelijk aan mijzelf over. En in die zin geeft de therapie mij natuurlijk wel terug aan mijzelf: in de vrijheid mijzelf te zoeken. Dit zoeken echter brengt ons op een ander terrein. Het terrein van het religieuze of spirituele, dat als sacramenteel spel aan ons verschijnt, een spel van de heiliging van de mens.

Waar de therapie haar grenzen ontdekt, komt het rituele spel van het sacrament in het vizier. Het sacrament is de ontkenning van de ontmaskering. Laat ik dit proberen voorstelbaar te maken met de ontdekking van een ziekte. Een therapeut kan ontdekken dat iemand ziek is (*doen verschijnen van het niet-gezond-zijn*). Soms kan de therapeut voorwaarden scheppen waaronder de zieke geneest. Maar vaak kan de therapeut de mens niet verder brengen dan het besef ziek te zijn. De priester daarentegen kan verder gaan. De priester vermag de mens aan te zeggen dat hij, hoewel ziek, *gezond* is. Zo kan een priester in het sacramentele spel maken dat de werkelijkheid van *het niet-gezond-zijn niet te voorschijn komt,* tot aan een wonderbaarlijke genezing toe. Het sacrament is het vermogen om de feitelijkheid te ontkennen zonder te liegen; het is het vermogen de leugen het zwijgen op te leggen om de waarheid de tijd te gunnen *uit de leugen (ziekte, dood)* tevoorschijn te komen. Kan het sacrament mij uit mijn rol als slachtoffer halen en terugbrengen bij mijzelf?

Wij kiezen niet zelf voor de drama's die ons overkomen, maar worden gedwongen er in mee te spelen. Een weigering om mee te spelen is niet altijd mogelijk en ook niet altijd wenselijk. De vraag is dus niet in hoeverre het mogelijk is om ons aan de drama's te onttrekken, maar hoe wij ons uit het drama kunnen bevrijden door ons in het drama te begeven en het spel volgens de regels te spelen. Het spel is pas gespeeld wanneer het tot een goed einde is gebracht. Het spel is pas gespeeld wanneer alle fasen zijn doorlopen: als is verhelderd waarom het gaat, als de spelers voldoende zijn toegerust, als de handeling is afgerond en, uiterst belangrijk, als de spelers ervan kunnen genieten. Het spel moet worden ingekleed met herkenbare acteurs en figuren, en met tijden en plaatsen die tot de verbeelding spreken. Alleen door die concrete invulling kan een mens zich identificeren met het spel, en kan hij of zij erin participeren om het tot een goed einde te brengen. Vier spelen van onze cultuur kunnen worden onderscheiden: het alledaagse, het theatrale, het therapeutische en het sacramentele. De eerste en derde zijn vooral gericht op de communicatie, terwijl het accent bij het theater en het sacrament vooral op de handeling ligt. De overval was een spel van de eerste categorie, het was menens. Een ontkenning van dit dagelijkse levert een theatrale levenshouding op, waarin de mens afstand kan nemen van de directheid van het feitelijke en kan vluchten in de verbeelding. Maar om de mens weer bij zichzelf te brengen moet de illusie worden ontmaskerd. Het therapeutische spel kan de mens helpen bij het ontmaskeren van de illusie, maar het stoot op een grens wanneer er achter het masker geen gelaat schuilgaat. Het rituele spel van het sacrament geeft de mens het vermogen een gelaat te ontvangen, mens te worden.

Het theater maskeert de werkelijkheid, het sacrament bedekt de werkelijkheid van het niet-zijn (leugen, ziekte, dood, schuld). In het theater speelt de acteur dat hij is wie hij niet is, maar bijvoorbeeld Hamlet. In de liturgie speelt de gelovige gemeenschap dat zij *niet niet* is wie zij niet is, maar dat zij in haar diepste wezen Christus is. In beide spelen wordt op deze wijze een zekere afstand gecreëerd ten opzichte van de werkelijkheid. Door die afstand kan er zicht op de werkelijkheid (van het zijn respectievelijk niet-zijn) komen. Dit zicht op de werkelijkheid heeft in beide spelen een bepaald perspectief. Het theater zet de werkelijkheid in het perspectief van de verbeelding, het ritueel kleurt het niet-zijn met verwachting. Het sacramentele is ook vergelijkbaar met het therapeutische: beide verstaan zij zich met de werkelijkheid van het niet-zijn: de leugen, de ziekte, de dood, de zonde. Beide spelen staan in het besef van de gebrokenheid van de werkelijkheid. Waar de therapie de mens wil genezen door *bewustworden en verwerking,* wil het sacrament hem genezen door *bekering en vergeving.* In de beoogde verwerking van het drama gaat de therapie terug op de autonomie van de mens (de patiënt). De mens zelf heeft de kracht om de realiteit van het niet-zijn (de ziekte) te verwerken. Het sacrament daarentegen gaat niet uit van de autonomie van de mens, maar van een heteronome werkelijkheid die de mens overstijgt. Het sacrament richt de mens op deze heteronome werkelijkheid, van wie hij of zij de vergeving als genadegave moet ontvangen. Dit laatste, de genade van de vergeving, moet worden begrepen tegen de achtergrond van de gebroken werkelijkheid waarin het sacramentele betekenis krijgt. Het beeld van de machtige allesoverstijgende Heer die beschikt een onderdaan de schuld kwijt te schelden, doet niet voldoende recht aan de typische werking van het sacrament. Het sacrament werkt in een niet-integere werkelijkheid, zij werkt in een wereld die door de therapie is ontmaskerd als niet-zijn. In dit ontmaskerde besef zou het geloof in een heerser die *deze* gebroken werkelijkheid ontkent en de leugen ongedaan maakt, te zeer lijken op een herhaalde vlucht in het theatrale, een hernieuwde verbeelding van een redder. Maar de transcendentie waar het sacrament ons op richt en toe bekeert is niet gelegen buiten deze werkelijkheid: het is niet van deze wereld, maar wel *in* deze wereld. Het sacrament oriënteert ons op de transcendente werkelijkheid *in* deze wereld door middel van de belofte: de verlossing zal komen vanuit ons midden, niet van buitenaf. De vergeving komt als belofte, misschien zelfs als gevoel, maar wacht nog op vervulling. De genade van de vergeving wordt gegeven als geheim, dat in deze werkelijkheid woont en zich zal openbaren. Het sacramentele is een spel rond dit geheim. Maar de openbaring van dit geheim kan op geen enkele wijze worden afgedwongen. Vergeving is altijd een genadegave, *ook* aan hen die hun schuldenaars niet kunnen vergeven! De bede in het Onzevader wil zeggen dat de vergeving die wij ontvangen en de vergeving die wij schenken, beide ontleend zijn aan de Ene en zelfde bron.

In het sacramentele spel begeeft de mens zich op heilig terrein, en voert hij of zij een handeling uit in naam van de Heilige. Welke rol speelt de mens in het sacrament? De mens is deelnemer en draagt verantwoordelijkheid met betrekking tot de *werking* van het sacrament. Spoor van deze verantwoordelijkheid is het paradoxale schuldgevoel dat mij beving na de overval. Wat voor schuld had ik aan de overval die mij, tegen mijn wil, overkwam? Waarom voelde ik mij op een of andere manier 'niet zonder schuld'? Er zijn volgens mij twee goede antwoorden op deze vraag. Het eerste antwoord is dat schuld een smet is die iedereen in de omgeving – dader, slachtoffer, toeschouwer en hulpverlener – in meer of mindere mate besmet. Iedereen in de omgeving van een misdaad lijdt aan een en dezelfde schuld; iedereen lijdt anders, maar niemand ontkomt eraan. Het tweede antwoord op de schuldvraag is dat iedereen die, gedwongen of uit vrije wil, aan het spel meespeelt medeplichtig is. Mijn schuldgevoel kwam gemaskeerd in agressie. Ik kon deze agressie uitleven in de film *First Blood,* waarin Sylvester Stallone slachtoffer was en de daders vernederde. Nog lange tijd heb ik dezelfde agressie in dromen uitgeleefd, en in fantasieën doe ik dat nog steeds. Is deze agressie niet een gemaskeerd schuldgevoel voor het feit dat ik niet ingegrepen heb in de overval? Ik speelde het spel mee. Dat maakt mij medeplichtig. Aldus verloor ik mijn onschuld. De vraag of dit terecht is of niet, is, voor het gevoel althans, niet interessant. Mijn vraag is hoe het mechanisme werkt dat mij mijn onschuld afneemt, en hoe ik mijn onschuld weer kan hervinden. Ik verloor mijn onschuld omdat ik het spel meespeelde. Daardoor werd ik medeverantwoordelijk voor het drama. Ik heb als slachtoffer wel degelijk invloed gehad op het verloop van de overval. Ik deed het om mezelf te redden, maar die daad maakt mij verantwoordelijk. Het schuldgevoel wijst dus op een verantwoordelijkheid die verder reikt dan men redelijk acht. De omkering van verantwoordelijkheid is macht: mij wordt macht toegedacht waar ik geen macht heb. Ik vermoed daarom dat dit 'onterechte' schuldgevoel *goed nieuws* is. Dat het wil zeggen dat ik macht heb en verantwoordelijkheid, ook daar waar mij alle macht en verantwoordelijkheid ontnomen is. Dat ik op die macht en verantwoordelijkheid mag vertrouwen en bouwen. Ik vermoed dat het schuldgevoel mij wijst op iets dat ik vergeten ben, namelijk *dat ik nog altijd ben wie ik was, ongeschonden, heel.* Ik weer mij tegen pastores en psychologen die het 'onterechte' schuldgevoel proberen weg te duwen, omdat dit gevoel mij verzekert van de mogelijkheid de onschuld te hervinden. Het gevoel niet-onschuldig te zijn, ontstaan in het levensdrama, heeft mij langs de domeinen van het theatrale en het therapeutische naar het sacramentele spel geleid. In het sacramentele zoek ik de mogelijkheid om dit gevoel om te keren in een hervonden onschuld, vrede en vrijheid. Net als het levensdrama is ook het sacrament een situatie die mij overkomt. Ik ben niet de auteur van de sacramenten. Ik ben niet bij machte de sacramenten te laten werken. Tot op zekere hoogte moet ik mij, als ik het sacramentele spel wil spelen, overgeven aan een heteronome instantie (de priester, de kerk, Christus, God). Toch ben ik niet machteloos in het rituele spel van het sacrament, niet zonder verantwoordelijkheid. Want precies die plek waar ik mij verantwoordelijk voel over een zaak waarvoor ik geen verantwoordelijkheid draag, is ook de plek waar ik het vermogen vind tot een antwoord. Het is een antwoord dat mij gegeven wordt, een verantwoordelijkheid en macht die mij toegedacht wordt. Zoals een toeschouwer in de film verantwoordelijk is voor de beeldvorming, zo is de gelovige in de liturgie verantwoordelijk voor de 'heilsvorming': voor de aanvaarding van de aangezegde genade, voor haar groei en ontwikkeling en voor haar geboorte. Was ik niet verantwoordelijk, was ik een leeg vat, machteloos tot antwoorden, dan zou die genade die in het sacrament aangeboden wordt helemaal nergens aankomen, zich niet hechten, niet groeien en niet geboren worden. Met andere woorden, juist daar waar ik mij moet overgeven kan ik mijzelf hervinden. Het is *niet* belangrijk te weten wie die heteronome instantie is, niet belangrijk of ik mij in Hem kan vinden. Ook een rotsvast geloof is niet nodig. Het is voldoende je er op te richten, je ertoe te (be)keren. Want het enige dat nu telt is, dat ik mijzelf kan tegenkomen op het moment dat ik mijn grenzen ken en ze overschrijd door me te begeven in het vreemde sacramentele spel. Vanuit die gang door het vreemde kan ik aan mijzelf worden teruggegeven, weer subject worden, weer vrij mens worden. Daar gaat een woord als vergeving spreken, niet voor mijn daders, maar voor mijzelf.

In dramatische gebeurtenissen krijgen mensen een rol opgedrongen waar zij vaak niet meer uit kunnen komen. Dan hebben zij hulp nodig. Er kan geen beroep worden gedaan op de autonomie van deze mensen, omdat het drama juist het geloof in de autonomie gebroken heeft. Iemand die overvallen wordt, is blijkbaar niet zo autonoom als hij wel dacht. Deze mensen hebben hulp nodig van buitenaf, van een heteronome instantie. Dit kan de wereld van het theatrale zijn (romans, films, muziek) die de mens de verbeelding aanreikt. Soms kan de afstand van het theatrale de mensen de tijd en ruimte geven om op eigen kracht te genezen. Soms is er echter therapie nodig, vooral wanneer de verbeelding – een illusie – hen vervreemdt. Maar soms is er na de therapie ook nog hulp nodig, wanneer de therapeut vanuit zijn of haar medische integriteit niet kan zeggen 'God is goed'. Voor dat geloof moet men zoeken in de kerk die als heteronome instantie de mens dient met haar sacramenten. Dit is met name nodig voor mensen die geen zelfbeeld meer hebben om op terug te vallen. Alsof er achter het masker geen gelaat meer schuilgaat.

Het sacramentele spel geneest. Dat doet ook het therapeutische spel. Maar de twee spelen richten zich op twee verschillende vormen van genezen. De therapeutische genezing is verwerking, terwijl de sacramentele genezing vergeving is. Verwerken doe je zelf, vergeven word je. Verwerking is vernietiging van de ziekte om plaats te maken voor de gezondheid, vergeving is louter genade. Dit tweevoudige perspectief van de genezing is terug te vinden in de etymologie van het woord dat, teruggaande op het oud-Hoogduitse *ginesan*, zowel 'heel worden' (*san* als in *sanus*) als 'heilig worden' (*san* als in *sanctus*) betekent. De manier waarop het sacrament geneest kan, net als bij de therapie, worden begrepen als het spelen volgens de regels van het spel. De mens neemt aan het sacrament deel door een rol te spelen. Hij of zij lijkt zichzelf in het ritueel volkomen te vergeten om plaats te maken voor Iemand die nog niet eens een naam heeft, een God die in ons diepste woont. Door zelf tot zwijgen te komen en ontvankelijk te worden voor die Ene nog naamloze God, kan (want het is niet af te dwingen) de mens zijn of haar bestemming vinden. Door dit nieuwe spel te spelen kan de mens opnieuw ontstaan, opnieuw mens worden. Wie die mens is, is nog een geheim. Zij komt alleen gesluierd te voorschijn. Maar het spel wordt gespeeld onder de belofte dat achter de sluier een gelaat schuilt, het diepste wezen van deze mens. Wanneer de mens leert geloven in zichzelf als een persoon met een heimelijk maar waarachtig gelaat, als iemand die gedragen wordt door zijn of haar diepste wezen, dan mag deze mens zich reeds verlost weten van de valse rol die hem of haar werd opgedrongen. Aldus kan het sacramentele spel de mens helpen op te houden slachtoffer te zijn, of dader of toeschouwer. Moge de verlossing ons overkomen op dezelfde plotselinge wijze als eertijds het drama.

Centrum voor Wetenschap en Levensbeschouwing

Het Centrum voor Wetenschap en Levensbeschouwing van de Universiteit van Tilburg is een organisatie die de verhouding tussen wetenschap en levenbeschouwing wil onderzoeken. Wij willen een podium zijn voor discussie over wetenschappelijke thema's en levensbeschouwelijke opvattingen. Hoe beïnvloeden deze elkaar? Waar liggen concrete knelpunten? Waar houdt wetenschap op en waar beginnen de normen en de waarden?

Het Centrum voor Wetenschap en Levensbeschouwing is opgericht in1989. We laten ons inspireren door de katholieke grondslag van de universiteit. Omdat medewerkers en studenten van de Universiteit van Tilburg niet langer één pakket van waarden en normen aanhangen, is openheid en verscheidenheid ons uitgangspunt.

Voor de hele universiteit

Het Centrum voor Wetenschap en Levensbeschouwing organiseert activiteiten voor de hele universitaire gemeenschap. Wetenschappers doen mee aan onze interdisciplinaire projecten waarin de grenzen van wetenschapsgebieden, wetenschappelijke visies en persoonlijke inzichten aan de orde komen. Deze projecten ontwikkelen wij telkens samen met een van de faculteiten. Na deze start kunnen andere faculteiten ook deelnemen. Het doel van deze projecten is het gesprek over wetenschap en levensbeschouwing binnen de faculteiten te stimuleren. Deelnemers sluiten deze projecten af met een conferentie of een publicatie.
In samenwerking met studenten organiseren wij beleidsdagen van studieverenigingen, bezinningsweekenden, gespreksavonden en culturele bijeenkomsten. Wij ondersteunen ideeën met een levensbeschouwelijke dimensie en helpen studenten of verenigingen bij de uitvoering ervan. Het Centrum voor

Wetenschap en Levensbeschouwing heeft elk jaar plaats voor student-assistenten en stagiaires.

Stiltecentrum

Sinds 1992 heeft het Centrum voor Wetenschap en Levensbeschouwing een Stiltecentrum. Het staat midden op de campus waardoor bezinning een herkenbare plaats heeft gekregen binnen de universitaire gemeenschap. Het Stiltecentrum heeft een ontvangstruimte, enkele werkkamers en een stilteruimte. Hier wordt in groepsverband en individueel gemediteerd of gebeden, door alle gezindten. In georganiseerd verband vindt er bijvoorbeeld Zen-meditatie plaats.
Het Centrum voor Wetenschap en Levensbeschouwing gebruikt het Stiltecentrum ook voor eigen activiteiten zoals gespreksavonden en culturele bijeenkomsten. Sinds de oprichting van het Stiltecentrum exposeren er kunstenaars die naar aanleiding van een thema op uitnodiging iets maken voor het gebouw.

Bestuur en begeleiding

Het Centrum voor Wetenschap en Levensbeschouwing wordt inhoudelijk en beleidsmatig begeleid door een commissie van wetenschappers uit de verschillende faculteiten, ondersteunend personeel, studenten en een vertegenwoordiger van de studentenkerk Maranatha. Het dagelijks beheer is in handen van het hoofd en de studiesecretaris.

Adres

Centrum voor Wetenschap en Levensbeschouwing
Postbus 90153
5000 LE Tilburg
tel: 013 - 466 3183
fax: 013 - 466 3445
E-mail: cwl@uvt.nl
Website: www.uvt.nl/cwl

Publicaties

Naast interne onderzoeksrapporten heeft het Centrum voor Wetenschap en Levensbeschouwing onder meer de volgende publicaties uitgegeven:

- *Wat bezielt de Universiteit: levensbeschouwing en religie in beweging,* Peter van Zoest (red.), Kok Agora, 1990.
- *Onder Woorden: gesprekken over stilte,* Jan Renkema (red.), SDU uitgeverij, 1992.
- *Betrokken in Verscheidenheid: levenshouding van wetenschappers,* Cathy de Waele (red.), Tilburg University Press, 1994.
- *Eensgezind in Twijfel: wetenschappers in opleiding over de waarde(n) van hun vak,* Cathy de Waele (red.), Tilburg University Press, 1995.
- *God is dood! Leve God? Beschouwingen over zingeving,* Ludo van Dun, Willo Eurlings, Luc Jeurissen, Cathy de Waele (red.), in samenwerking met Versot en Studium Generale, 1995.
- *Het leven is een schone zaak: jongeren over wat hen beweegt,* Rob Doms, Edwin Mermans, Cathy de Waele (red.), in samenwerking met Podium Café, 1996.
- *Een blik op vijftig studenten,* Moniek IJzermans en Edwin Mermans (red.), juni 1998.
- *Economisering van de samenleving,* congresbundel, oktober 1999.
- *Zin in Wetenschap,* Roseplezingen 1999, Pieter Siebers (red.), met medewerking van onder andere Paul Cobben, Peter Essers, Veerle Draulans, Frank van der Duyn Schouten, Jacques Hagenaars, Ernst Hirsch Ballin, Theo van de Klundert, CWL, 1999.
- *Een ontoevallig treffen,* Bundel bij het afscheid van Frans Teunissen, Moniek IJzermans (red.), januari 2002.
- *Waarden onder de meetlat,* Harald van Veghel (red.), Damon, augustus 2002.
- *Begrensde rationaliteit, economie en ethiek, met een toepassing op ICT,* Johan Graafland (red.), september 2002.

Dank

Dit project was nooit tot stand gekomen zonder de inspirerende bijdrage van L. J. A. D. Creyghton, Arjan Gebraad, Katja van Etten en de financiële steun van de Gemeente Tilburg. Ook het comité van aanbeveling van het project *het verlies van onschuld* zijn we erkentelijk voor hun vertrouwen: Mr. Yvonne van Rooy, voorzitter van het College van Bestuur van de Universiteit van Tilburg, dr. Annelies van Heyst, onderzoeker en docent Ethiek aan de Theologische Faculteit Tilburg en drs. Wilbert van Herweynen, voormalig wethouder van cultuur te Tilburg. Ten slotte willen we FAXX, podium voor hedendaagse kunst te Tilburg, danken voor de prettige samenwerking rond de organisatie van de expositie. Datzelfde geldt voor dansgezelschap Raz, voor hun bijdrage aan het symposium rond het thema *het verlies van onschuld.*

FAXX, podium voor hedendaagse kunst

FAXX is een levendige organisatie die bestaat uit vier delen; de Kunstuitleen, het Duvelhok, waar cursussen worden gegeven, de advisering inzake kunsttoepassingen aan bedrijven en overheden en de tentoonstellingen. FAXX organiseert tentoonstellingen waarbij kunst wordt opgevat in brede zin; er is aandacht voor beeldende kunst, audiovisuele kunsten, architectuur, kunst in het publieke domein en design.

Raz

Raz is het gezelschap van Hans Tuerlings waarmee hij vanaf 1990 vastberaden en compromisloos aan zijn voorstelling van dans werkt. Ondanks of misschien wel dankzij het gegeven dat Tuerlings de persoonlijkheid van zijn mensen boven de techniek plaatst, heeft Raz een zeer herkenbare bewegingstaal ontwikkeld. Daarbij is het gesproken woord vaak van een poëtische schoonheid en het toneelbeeld immer van doeltreffende eenvoud.

Personalia auteurs

PROF.DR. WIL ARTS (1946) is hoogleraar Algemene en theoretische sociologie aan de Universiteit van Tilburg. Hij heeft zich recentelijk vooral bezig gehouden met internationaal vergelijkend onderzoek naar verschillen en veranderingen in waardepatronen. In 2002 is o.a. het volgende artikel verschenen: *Individualisering, solidariteit en burgerschap* (in samenwerking met prof. dr. Ruud Muffels. Tilburg, AWSB/TISSER/WORC).

DRS. SOPHIE DE BOER-VAN BEECK (1970) is docente Kunstgeschiedenis en -beschouwing. Ze studeerde af op Modern klassieke en hedendaagse kunst aan de Rijksuniversiteit van Utrecht. Daarnaast werkt zij als pr-medewerker bij Galerie Willy Schoots te Eindhoven.

DR. ODILE HEYNDERS (1961) is als literatuurwetenschapper werkzaam aan de Letterenfaculteit van de Universiteit van Tilburg. Haar onderzoek ligt op het grensvlak van literatuurgeschiedenis en filosofie. Zij publiceert over moderne Westerse poëzie (sinds 1850) en interpretatieopvattingen. In 2001 verscheen o.a. haar artikel *Als de God zich heeft afgeschaft. Religieuze poëzie van Hans Faverey en Paul Celan* (In: Armada, Tijdschrift voor Wereldliteratuur).

PROF.DR. DONALD LOOSE (1949) doceert Wijsgerige ethiek en godsdienstfilosofie aan de Theologische Faculteit Tilburg en is bijzonder hoogleraar aan de Erasmus Universiteit te Rotterdam. Hij studeerde theologie en filosofie aan de Katholieke Universiteit Leuven. Zijn interesses op het gebied van fundamentele wijsgerige ethiek en politieke filosofie komen tot uiting in artikelen als *Atheense agora of Romeins circus? De politieke idee van de 'global society'* (In: Mul, Jos de, *Filosofie in cyberspace.* Kampen: Klement).

PROF.DR. REIN NAUTA (1944) is hoogleraar Godsdienst- en pastoraalpsychologie aan de Theologische Faculteit Tilburg. Hij is tevens directeur van het aan deze faculteit verbonden Centrum voor Religieuze Communicatie. Recente publicaties van zijn hand betreffen thema's als feest en verleiding, schuld en schaamte, ritueel en identiteit, zonde en bekering. In 1995 verscheen van hem een inleiding in de godsdienstpsychologie: *Ik geloof het wel* (Assen: Van Gorcum).

DRS. PIETER SIEBERS (1956) is werkzaam als voorlichter van de Universiteit van Tilburg en bovendien verantwoordelijk voor het kunstbeleid van deze instelling. Hij studeerde kunstgeschiedenis aan de Katholieke Universiteit Nijmegen. Op dit gebied heeft hij ook artikelen gepubliceerd. Momenteel werkt hij aan een publicatie over fotograaf Martien Coppens, in het kader van het 75-jarig bestaan van de Tilburgse universiteit.

DR. WILLEM MARIE SPEELMAN (1960) is wetenschappelijk medewerker spiritualiteit voor het Franciscaans Studiecentrum, dat verbonden is aan de Katholieke Theologische Universiteit te Utrecht. Hij studeerde Musicologie en promoveerde tot doctor in de Theologie. Zijn interesse gaat o.a. uit naar semiotiek en liturgie waarover hij verschillende artikelen schreef.

DR. HANS STRIJARDS (1960) is universitair docent Praktische theologie aan de Katholieke Theologische Universiteit te Utrecht en medewerker aan de Stichting Vormingswerk Amsterdam. Hij studeerde Theologie aan de Theologische Faculteit Tilburg en promoveerde op *Schuldgevoel en pastoraat.* Over dit onderwerp zijn de afgelopen jaren verschillende artikelen van zijn hand gekomen.

Personalia fotografen

L.J.A.D. Creyghton (1954) is fotograaf en docent fotografie aan de Academie Kunst en Vormgeving te Den Bosch. Hij studeerde Fotografie en Audio-Visuele Vormgeving aan de Academie voor Beeldende Kunsten in Breda. In 2000 publiceerde hij *Corpus Delict* in Volkskrant Magazine waarvan hier 4 foto's te zien zijn. De laatste zes vormen de serie *Couloir de la mort,* 2002. In 2002 exposeert hij tijdens het project *Hofvijver in Poëzie en Beeld* te Den Haag en *Foam* in het Vondelpark te Amsterdam.

Ruud van Empel (1958) is een Amsterdamse kunstenaar, wiens werk is opgenomen in de kerncollectie van Rabobank Nederland en in de collectie van het Groninger Museum. In maart 2001 exposeerde hij zijn werk *Study for 28 Women* in Galeria Berini te Barcelona. In hetzelfde jaar was *Study for 4 Women* (in dit boek opgenomen) te zien in Hengelo bij Art-Twente. Naast de St. Joostprijs en de Charlotte Köhlerprijs won hij de H.N. Werkmanprijs in 2001.

Rebekka Engelhard (1968-1999) studeerde in 1994 cum laude af aan de Koninklijke Academie voor Beeldende Kunsten in Den Haag. Ze heeft veel geëxposeerd tijdens haar korte carrière en ze werd genomineerd voor o.a. PANL Kodak-Award en de World Press Photo Masterclass. In 1999 werd *Ommuurde dromen,* waarvan in dit boek foto's zijn opgenomen, tijdens het fotofestival in Naarden geëxposeerd.

Jerome Esch is modefotograaf, woonachtig in Parijs. Hij studeerde af aan de Royal Academy of Fine Arts in Den Haag. Zijn realistische fotografie wordt gekenmerkt door een surrealistische ondertoon. Hij werkt voor zowel tijdschriften (*Vogue, Spoon, Visionaire*) als voor campagnes (o.a. *Mercedes, Kenzo, Jean-Paul Gaultier*). Zijn in deze bundel getoonde werk was recent te bewonderen tijdens het 'Kobe Festival' en het 'Naarden Photo Festival'.

ROLPH GOBITS is fotograaf en concentreert zich met name op reclamefotografie. In Bournemouth studeerde hij Engels, gevolgd door een studie Fotografie. Later verhuisde hij naar Londen waar hij studeerde aan the Royal College of Art. Met zijn werk als reclamefotograaf voor o.a. Mercedes Benz, Gucci en British Airways heeft hij vele onderscheidingen ontvangen, waaronder meest recent in Nederland de gouden en bronzen Morton Kirschner Photography Award in 1999 en 2000.
De foto's uit dit boek zijn uit de serie *travelling entertainers*.